改訂版

マンガでわかる

投資信託入門

お金は運用する時代！

監修 鈴木一之
マンガ 幸翔

明美……これってどういうこと？
「これからは投資の時代だ！」
とかいってたからついて来たんだけど…
あんたが「お金を寝かせるなんてありえない！」
だから投資セミナーよ
一番奥の大澤さんが証券会社で働いていて
さっき投資についていろいろ教えてくれたじゃない
その横の人はベンチャー企業の社長らしいよ！
いやいやこれってただのコンパじゃない……

私こういうの苦手だって知ってるでしょ……
かたいこといわないの!
この間だって「将来のことをもっと考えないと」って言ってたじゃない
確かに言ったけどそれは恋愛じゃなくて……
まぁまぁ…あたしの顔を立てると思って
ね?一次会だけでいいからさ
ちょっとお手洗い…
わかった…一次会だけだからね
スクッ
ぱたん
はぁ…
投資の話なんてすぐ終わっちゃったじゃない…
お手洗
あの…もしかして森重さんもだまされたクチですか?
投資セミナーだって
え?
ええと…

高橋です！
最初に挨拶したんですけどもう忘れちゃいました？
あー！すいませんだまされてたことばかり考えちゃってて…
じつは俺もなんです！
投資を教えてやるって言われて来たんですけど…
お互い困った友人を持ったものですね
そうだったんですね
将来のために投資信託ぐらいやっておけ！
…っていうのが大澤の口癖なんです
そういえばトウシ…シンタク？
何のことかわからないけど…
…ならほったらかしでもお金が増やせるとか…

おっ なんだぁ？ 声がすると 思ったら
こんなとこで 抜けがけかよぉ たかはしぃ
ばっ 何いってんだよ!!
…やっぱ こういう 雰囲気 苦手だ
にしても トウシシンタク… お金の運用か
なるほど
投資信託って いうのは お金を預けて プロに投資を 代行して もらうのか…
少額で始められて リスクを 抑えられるのが メリットなのね
でもネットだと 情報が多すぎる なぁ…

あ！
そういえば
あの
証券マンの人が
知り合いだって
くれたチラシ…！
ごそ
ごそ
相談会
やって
るんだっけ
無料
投資相談会
実施中
お気軽にご相談ください。
投資コンシェルジュ
濱田望美
TEL ○○○○-○○○-○○○
URL https://○○○○○○○
話…
聞くだけでも
いいよね？
お待たせ
しました
濱田です！
大澤さんの
お知り合い
なんですってね
……
ええ…
？
今日はちょうど
もう1人
話を聞きたい
という方が
いらしたので
一緒にお話させて
いただきますね
こちらへ
どうぞ

やっぱり興味を持っている人って多いのかな?
それでは今日はよろしくお願いいたします
森重祥子さん
そして高橋誠也さん
よろしくお願いします
…って
あっ!!

特集 1 はじめに知っておく超基本

株や国債とはどう違う?

投資信託ってどんなもの?

Q1 そもそも投資信託ってナニ?

A 株や国債など、いろいろな投資先の「詰め合わせ」

投資信託は「投資」の一種ですが、同じ投資でも株や国債《こくさい》を買うのとは違い、どんなものかはわかりづらいかもしれません。簡単にいうと、投資信託とは**株や国債、不動産など、さまざまな投資先を1つのうつわにまとめた「お弁当のようなもの」**です。

例えば日本の株だけの詰め合わせとか、南米や東南アジアなど新興国の債券の詰め合わせなど、組み合わせ方によって投資信託はいろいろなものがあります。

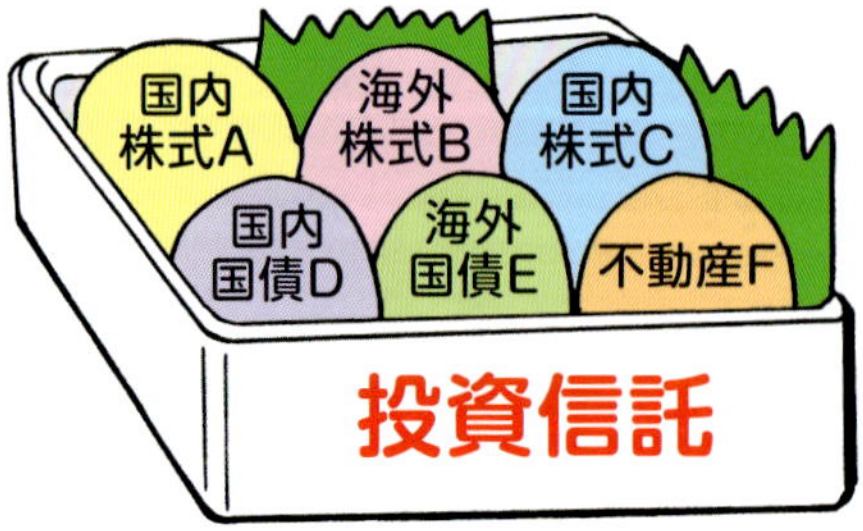

いろいろな投資先がセットになっている!

Q2 投資信託はどんなしくみなの？

A 投資家からお金を集めて**プロが運用**するしくみ

投資信託は、多くの人（投資家）に買ってもらうことでまとまった額の資金を集め、それを**投資のプロが株や国債などで運用*して利益を上げ、投資家に分配するしくみ**になっています。投資資金が大きければ、投資先をいろいろな投資先に「分散」することで損を出しにくくできますし（P.14参照）、投資家は**投資額を少額に抑えられる**うえ、**むずかしい投資をプロにまかせられる**といったメリットがあります。

*お金を「運用する」とは、株や国債などを売り買い（投資）すること

Q3 投資信託でお金を増やすポイントは？

A **少額**の投資で始めて**長期保有**で増やす！

株取引では、短期間の売買で利益を上げようとする人もいますが、投資信託の場合、とくに「投資は初めて」という方におすすめなのが、**少額の投資で始めて、同じ商品を買い増しながら、長期でもち続けることで利益を上げる**方法です（P.12参照）。

はじめの商品選びさえしっかり行えば、あとはコツコツと気長に買い増すだけで、資産を増やせる可能性が高まります。

特集 2 投資信託の特徴・魅力①

投資の知識・経験ゼロでも大丈夫!

あなたは買うだけ、あとはプロにお任せ!

いまや「人生100年時代」。健康で長生きできるのはいいことですが、その一方で、**将来のお金に対する不安**がある方も少なくないでしょう。これまでのように公的年金や貯金だけに頼っていては、**安心でゆとりのある老後は送れない**のでは、という考え方が一般的になりつつあります。

老後の資金だけでなく、結婚や子育て、マイホーム購入など、この先、まとまったお金が必要になる場面もあるでしょう。

ここで考えなくてはならないのが、今後の収入です。**この先も充分で確かな収入があるといいきれるでしょうか**。終身雇用は崩れ始め、雇用形態も多様化しています。

ところが、万一に備えて銀行にお金を預け、貯めておこうと思っても、ついてくる利息はわずかな額でしかありません。

お金は貯蓄中心から運用する時代へ

では将来、お金で心配することがないように、いまのうちからできることは何でしょうか。

そこで最近いわれているのが、**お金(資産)は従来の貯蓄中心から、運用する時代**、というものです。

あなたの周囲にも「投資信託を買った」「株を買った」という人がいるでしょう。

ただ、預貯金とは違い、「投資」となると「よくわからな

むずかしい投資はプロ任せ

自分で株や国債の
売り買いをして利益を
上げるのは
カンタンではない！

投資信託
を買えば……

投資のプロが
お金を運用して
利益を上げてくれる！

い」、株で損をした話を聞けば「投資はこわい、むずかしそう」というイメージをもつかもしれません。

あなたに代わって プロが運用してくれる！

この本で紹介する「投資信託」は、多くの人に買ってもらう（投資してもらう）ことで、大きな資金にまとめ、それを**投資のプロが株や国債などを売り買い（投資）して、その利益を買った人に分配する**商品です。

投資なんてわからない、むずかしそうだという人でも、**買ってしまえば、あとはプロに任せておける**——それが投資信託の特徴・魅力の１つです。

特集 3 投資信託の特徴・魅力②

基本戦略は「長期運用」
ムリなく少額で始めて コツコツ長く続ける！

投資信託の特徴・魅力には、株などほかの投資と比べて、**少ない資金で始められる**こともあります。投資に興味があるものの、失敗しないかと不安に思っている人が、「負担の少ない額から始めたい」と考えるのはもっともなことです。ただ一般的に、投資にはまとまった資金が必要です。例えば株取引では、売買できる単位は100株と決められているので、もし株価1000円の株を買おうとしたら、最低でも10万円は必要です。

一方、投資信託には、「スポット（一括）」と「積立《つみた》て」という2つの買い方があります。一度に購入するスポットで数万円～数十万円とまとまった額も買えますが、コツコツ買う**積立てであれば、1回に100円～1000円という少額で買うこともできます**。

少額でコツコツ着実に資産を増やす！

投資額が少ないと、得られる利益もたかが知れているのでは、と思うかもしれません。確かに1度や2度、わずかな額を買っても大きな見返りは期待できませんが、投資ビギナーの方におすすめしたい、投資の基本的な考え方は、**少額ずつでもコツコツと、長い時間をかけて買い増すことで利益を上げる**こと。これなら、誰でもムリなく始められ、資産を増やす可能性が高まります。

株と投資信託の 購入資金を比べると…

株の場合

A社の株
株価1,000円

↓

売買単位は最低100株なので
スタート時の資金は最低でも**10万円**は必要

投資信託の場合

投資信託のB商品
基準価額* 15,000円
*株価のようなもの。P.42参照

↓

スポットで
(P.136 参照)

数万円～数十万円と
まとまった額を買うことも
できるが…

積立てなら
(P.136 参照)

**100円～1,000円と
少額で買うことが
できる！**

特集4 投資信託の特徴・魅力③

いろいろな投資先の「詰め合わせ」
投資先を分散してリスクを抑える！

投資信託は、国内外の株や、国債などの債券、不動産など、**いろいろな投資先を投資の対象として、それらを1つに詰め合わせた**「お弁当のようなもの」です。例えば、Aという投資信託の商品を1つ買うだけで、日本のB社の株や、新興国のC社の株、欧米の先進国のD国債など、いろいろな対象に投資していることになります。

もし、これらを個別に買ったとしたら、購入額は莫大な額になってしまいますし、自分で運用して利益を上げるには、大変な手間と時間がかかってしまいます。その点、投資信託なら購入額は100円～1000円からでもOKですし、面倒な運用や管理はプロがやってくれます。

投資先は集中させずに分散するほうが安心

投資信託がいろいろな対象に投資することの、もう1つのメリットは、**投資先を分散する（分散投資）ことでリスクを抑えられる**点です。

投資先を集中させてしまうと、何かあったときに一挙に大きな損失をこうむる可能性が高くなります。例えば左図の例で、日本のB社株だけを買っていた場合、B社の株価が下がれば損をしてしまいますが、B社以外の国内の株や、海外の株・国債などにも広く投資している投資信託なら、こうした万一のリスクにも対応できるのです。

投資対象を分散すると
なぜリスクが抑えられる?

例えば5つの投資先を組み合わせた
投資信託Aが、各投資先で下のような
利益と損失を発生させた場合…

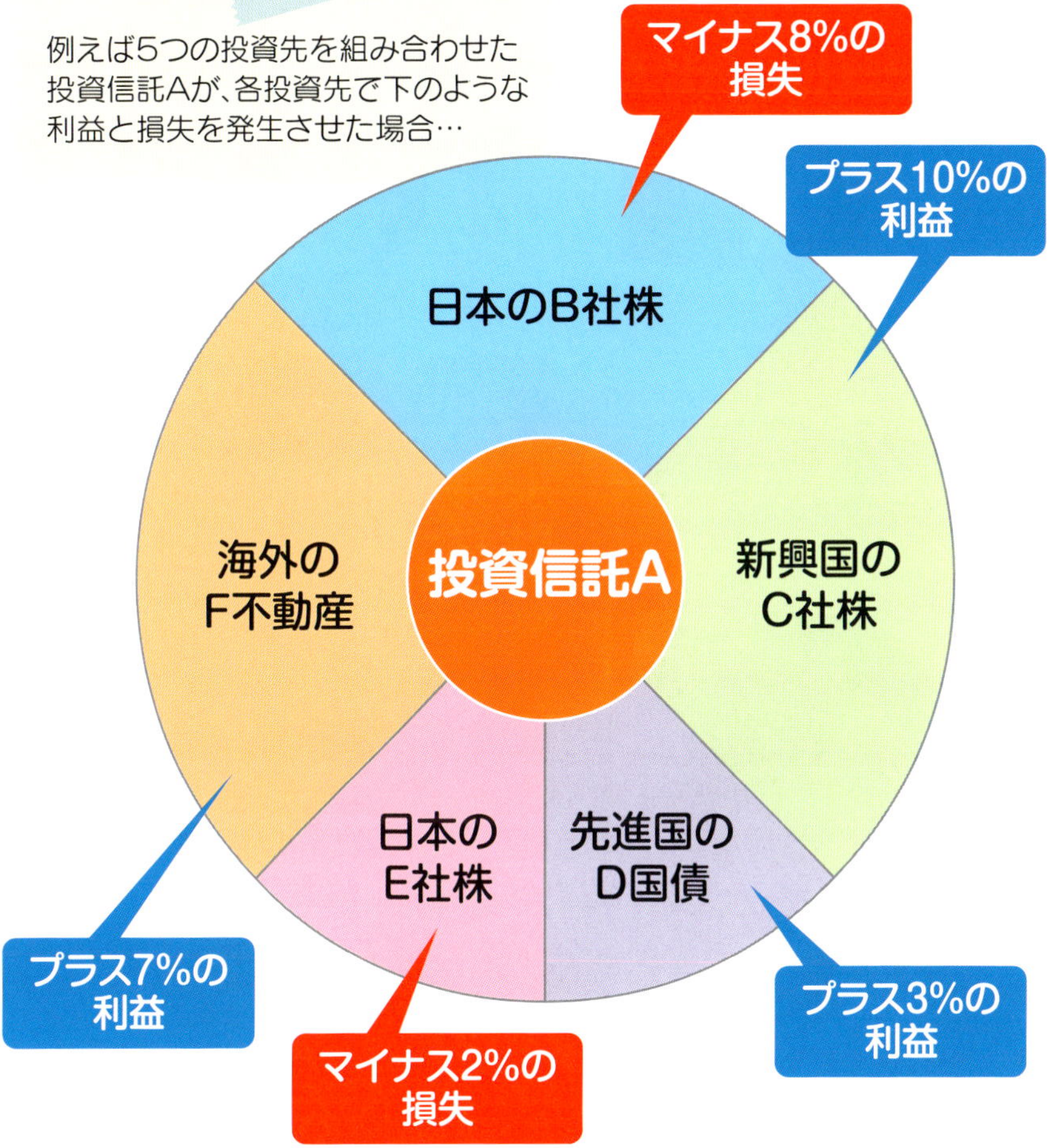

日本のB社株やE社株で
損失が発生しても、ほかの投資先で
利益を得られたため、全体として
大きな損失はこうむりません
これが分散投資のメリットです!

登場人物紹介

高橋《たかはし》　誠也《せいや》

大手商社に勤める会社員。たまたま顔を出した合コンで祥子と知り合う。2人はその後、同じ講師のもとで投資信託の勉強を始める。

森重《もりしげ》　祥子《しょうこ》

ごくフツーのＯＬ。友人の明美から「投資セミナー」という名の合コンに連れ出されたのをきっかけに、投資信託に興味をもつ。

濱田《はまだ》　望美《のぞみ》

ファイナンシャルプランナー。投資・資産運用の講師として祥子と誠也に投資信託のイロハを教授する。

明美《あけみ》

祥子の友人。祥子を投資セミナーに誘う。

祥子の父

母親をなくした祥子を男手１つで育て上げた。

第1話 これからは投資信託の時代!? …… 2

特集1
はじめに知っておく超基本
株や国債とはどう違う?
投資信託ってどんなもの? …… 8

特集2
投資信託の特徴・魅力①
投資の知識・経験ゼロでも大丈夫!
あなたは買うだけ、あとはプロにお任せ! …… 10

特集3
投資信託の特徴・魅力②
基本戦略は「長期運用」
ムリなく少額で始めてコツコツ長く続ける! …… 12

特集4
投資信託の特徴・魅力③
いろいろな投資先の「詰め合わせ」
投資先を分散してリスクを抑える! …… 14

登場人物紹介 …… 16

Part 1 投資信託はどんなしくみ?

01 お金は貯めるだけでなく運用することも大事 …… 22
02 投資信託は選んで買うだけ! あとはプロにお任せ! …… 24
03 投資信託には3つの会社が関わっている …… 26
04 投資家は運用会社に注目しよう …… 28
05 関係する会社がつぶれても投資家の資産は守られる! …… 30
06 主な投資先は株や債券、不動産など …… 32
07 投資先は国内だけでなく海外の株や債券も対象に …… 34
08 投資信託はどこで、いくらで買える? …… 36
09 儲けの基本は「安く買い、高く売る」 …… 38
10 投資信託のもう1つの儲けは「分配金」 …… 40

11 投資信託の値段＝「基準価額」は どうやって決まる？……42
12 目論見書を読めば 投資信託のすべてがわかる……44
13 投資は「自己責任」で行うのが原則！……46

Part 2 かかる費用と得する制度

第2話 投資信託はいくらかかる？……50
01 購入代金のほかに かかる費用は手数料と税金……60
02 買うときの手数料と もっている間の費用……62
03 売るときの手数料と 利益を得たときの税金……64
04 投資信託にもリスクがある……66
05 為替レートや金利の変動もリスクになる……68
06 NISAなら利益が出ても税金はゼロ！……70
07 つみたて投資枠と 成長投資枠を活用しよう……72
08 私的年金制度iDeCoとは どんなもの？……74
09 iDeCoも利益にかかる税金はゼロ！……76
10 NISA、iDeCoの利用は 専用の口座をつくる……78

Part 3 種類はいろいろ。選び放題！

第3話 どんな種類を選ぼうか？……82
01 安全性が高い「債券型投資信託」……92
02 高リターンをねらう「株式型投資信託」……94
03 不動産に投資する「REIT」……96

04 投資の上級者向けの「コモディティ（商品）」投資……98
05 効果的な分散投資をする「バランス型」……100
06 安定的に利益をめざす「インデックス型」……102
07 積極的に利益をねらう「アクティブ型」……104
08 株のように売買できる「上場投資信託（ETF）」……106
09 投資信託の購入と解約のタイミング……108
10 購入時手数料がかからない投資信託もある……110

Part 4 売り買いはスマホでOK

第4話 投信はどうやって買うの？……114
01 窓口、電話、ネット…買う方法はいろいろ……124
02 ネット利用の長所と短所は？……126
03 金融機関に専用口座を開設する……128
04 スマホアプリでカンタンに口座開設できる……130
05 「特定口座」の「源泉徴収あり」なら確定申告は必要なし……132
06 NISAの利用には専用口座が必要……134
07 買い方は2通り、「スポット」と「積立て」……136
08 「口数（数量）」を指定して注文する……138
09 「金額」を指定して注文する……140
10 売るときの手続きと注意点は？……142

Part 5 投資に役立つ知識とテクニック

第5話 いよいよ買っちゃいます！……146
01 スポットで一度に買うか、積立てでいくか……160
02 「純資産総額」で投資信託の規模を知る……162

03 「騰落率」で基準価額の変動をチェック……164
04 「トータルリターン」で運用の成績を知る……166
05 「目論見書」を読み解こう①……168
06 「目論見書」を読み解こう②……170
07 投資したあとは運用報告書や月次レポートをチェック……172
08 積立て投資のメリット、「ドルコスト平均法」とは?……174
09 分配金は「受取型」か、「再投資型」か?……176
10 信託報酬の差がコスト負担に大きく関わる……178
11 投資信託を選ぶときに便利なツールやサービス……180
最終話 あれから1年経ちました!……182
おわりに……188
索引……190

コラム
「信託期間」「償還」とは?……48
為替ヘッジ「あり」「なし」とは?……80
投資信託に投資する?……112
ブル型・ベア型ファンドとは?……144

※本書は特に表記がない限り、2023年10月時点での情報を掲載しております。本書の利用によって生じる直接的、間接的被害等について、監修者、漫画家ならびに新星出版社では一切の責任を負いかねます。あらかじめご了承ください。

Part 1

投資信託はどんなしくみ？

お金は貯めるだけでなく運用することも大事！

貯めるだけでは損してしまう

お金を増やす方法には、大きく2つあります。**1つは「貯蓄」で、もう1つは「投資」**です。

簡単にいうと、貯蓄とは銀行などに預けてお金を貯めること、蓄《たくわ》えること。一方、投資は、株や国債、投資信託などを売り買いしてお金を増やすことです。

ただ、銀行預金の場合、預けるたびに預金額は積み上がりますが、そのお金に利息はほとんどつきません。普通預金よりも分がいい定期預金の**金利**※（**年利**）でも、メガバンク3行とも0・002%という低金利です。

仮に貯金額が100万円あったとして、1年後につく利息はたった20円にしかなりません。これでは物価が年0・1%上がっただけで、預金分は実質的に目減りし、損をしてしまいます。しかも、この「超低金利」はまだ当分の間続きそうです。

このように、ただ貯めるだけではお金はなかなか増えてくれません。ですから、**貯める一方で、これからは「お金を運用する」ことも必要になってきました**。

運用とは、投資などによってお金を上手に活用し、増やすことです。

左図は資金100万円を、定期預金にした場合と、投資によって年3%の利益が出た場合の、お金の増え方を比較したものです。5年後、10年後に大きな差がつくのがわかります。

用語解説

※**金利（年利）**：預けたお金（元本）に対する、利息（利子）の割合。金利は通常、年単位で表すため「年利」ともいう。

定期預金にするか、投資するか

あなたの資金**100万円**

定期預金にした場合 ➡年利0.002％で計算	VS	**投資**した場合 ➡投資信託などで年３％の利益が出たとして計算
100万20円	1年後 差額 **約3万円**	103万円
100万60円	3年後 差額 **約9万円**	109万2,727円
100万100円	5年後 差額 **約16万円**	115万9,274円
100万200円	10年後 差額 **約34万円**	134万3,916円
⋮		⋮

（注）いずれも利益を再投資（P.176参照）した場合

やっぱり投資は、定期預金よりも儲かるのかな？

例えば、株に投資した場合、東京証券取引所プライム市場に上場している株なら、もっているだけで投資額の平均２％強にあたる配当金が得られます。また、アメリカの国債（10年物）は年利約４％。さらに投資信託では、もっと高い利回りになるものが数多くあるし、なかには10％以上の利回りになるものもあるわ！ ※損失が出る場合もあり

Part1

02

投資信託は選んで買うだけ！あとはプロにお任せ！

運用のプロを信じてお金を託す

投資信託とは、その名のとおり「投資を信じて、託す」ものです。投資家は「これがいい」と思った投資信託を買って、お金を預けるだけ。そのお金を元手に、投資をして利益を上げる、つまり**「お金を運用する」のはプロの役割**です。

このプロにあたるのが「運用会社」です。運用会社は、株や国債など、何に、どのように投資するかという運用方針を決めて、いろいろな投資信託をつくります。投資家はその中から自分に合ったものを選んで購入し、あとは運用の専門家が期待どおりの成果を上げて儲けさせてくれるのを待てばよいのです。

ファンドマネージャーの仕事

投資信託は「ファンド」ともいいますが、運用会社の中で資金の運用（の指示）を担当しているのが「ファンドマネージャー」です。

国内外の経済や金融の情勢、あるいは株や国債などの取引市場の情報を調査・分析し、投資先や投資のタイミングについて最適な判断をするのがファンドマネージャーの仕事です。個人で投資する場合は、こうしたことをすべて自分でしなくてはなりませんが、**投資信託なら購入後のことはすべてプロに任せられる**のです。

こうして資金の運用によって上げられた利益は、最終的に投資家へ還元されます。

選んで買ったら、あとはプロにお任せ！

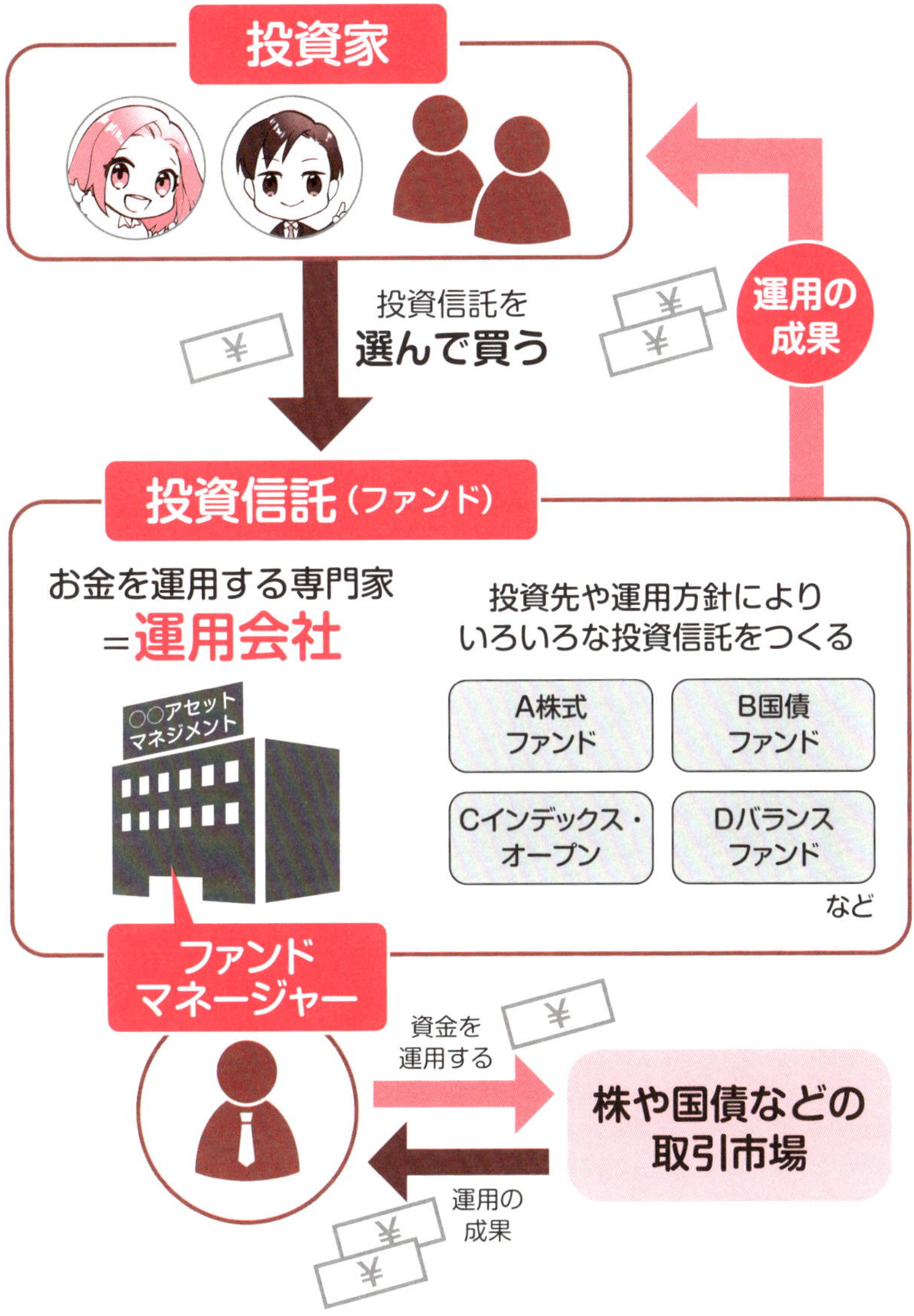

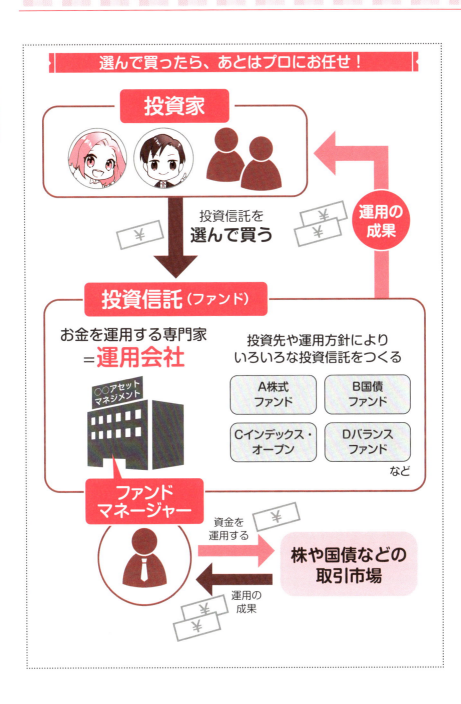

Part1

03

投資信託には3つの会社が関わっている

3つの役割を異なる会社が担う

投資信託は、販売会社、信託銀行、運用会社という3つの会社が関わり、成り立っています。それぞれの役割を見ていきましょう。

●販売会社……投資家にとって、**投資信託を買うときの窓口となる**のが、証券会社や銀行、郵便局（ゆうちょ銀行）などの販売会社です。販売会社は、どんな投資信託があるかを紹介して、購入の募集をします。投資信託を選ぶ相談などにも応じますし、投資信託の運用に関するさまざまな情報を伝えます。

また、投資家が投資信託を売却したときに**換金を行ったり、運用によって得られた利益を投資家に支払う**のも販売会社の役割です。

●信託銀行（受託会社ともいう）……**投資家から集めたお金＝資産を管理する**のが、信託銀行の役割です。また、運用会社からの指示に従い、**株や国債などの実際の売買を行います。**

そもそも信託銀行とは、通常の銀行業務に加えて、個人や会社から信託を受けた財産を管理・運用したり、相続に関する業務や不動産売買の仲介などをすることを法律で認められた銀行です。

●運用会社（委託会社ともいう）……**投資信託をつくり**、投資家から集めたお金をどのように運用すれば利益を上げられるかを考え、**信託銀行に実際の運用を指示する**のが、運用会社の役割です。じつは投資家にとって最も大事なのがこの運用会社です。

3つの会社の役割は？

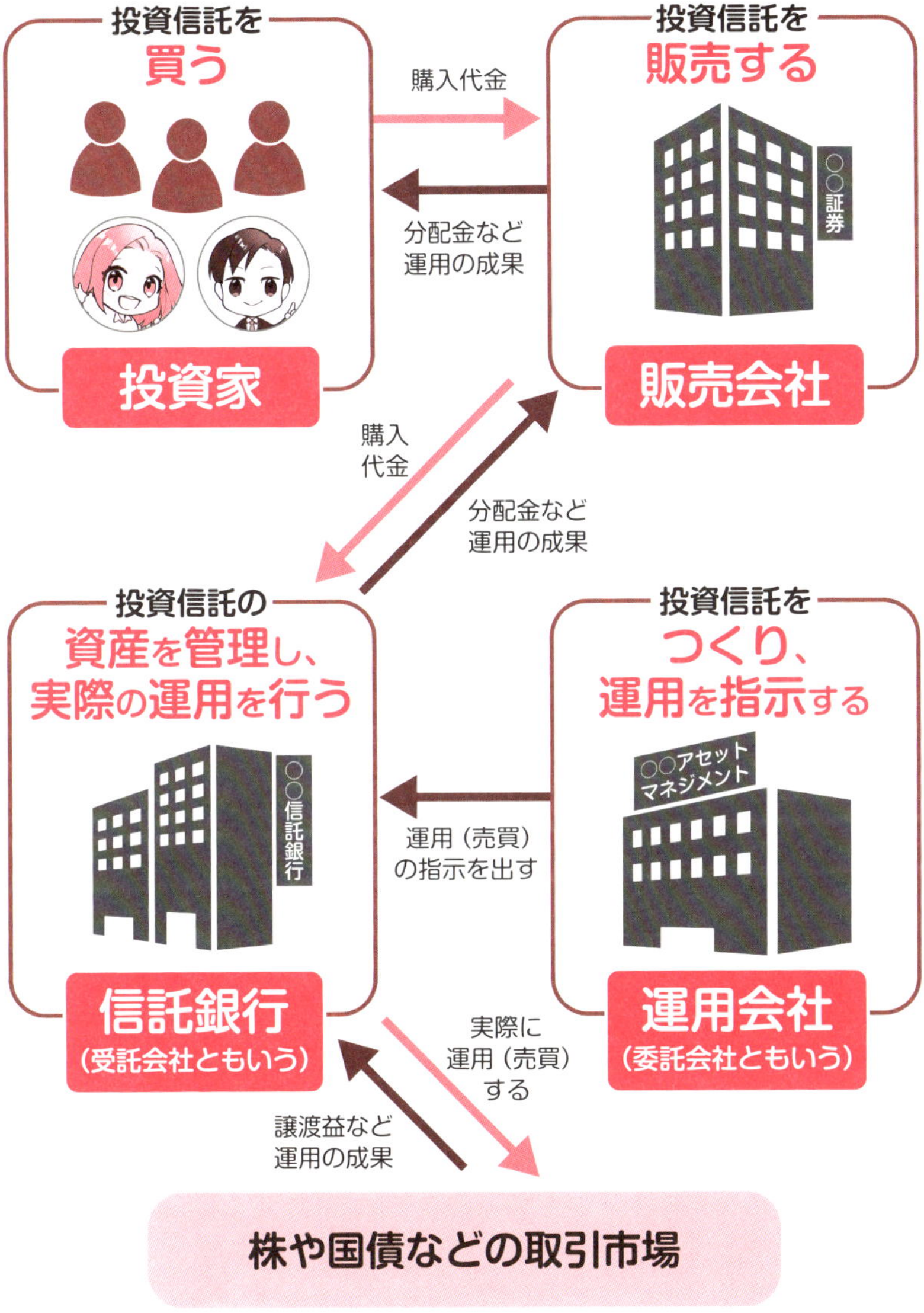
投資信託を
買う
投資家
購入代金
分配金など
運用の成果
投資信託を
販売する
○○証券
販売会社
購入
代金
分配金など
運用の成果
投資信託の
資産を管理し、
実際の運用を行う
○○信託銀行
信託銀行
（受託会社ともいう）
投資信託を
つくり、
運用を指示する
○○アセット
マネジメント
運用会社
（委託会社ともいう）
運用（売買）
の指示を出す
実際に
運用（売買）
する
譲渡益など
運用の成果
株や国債などの取引市場

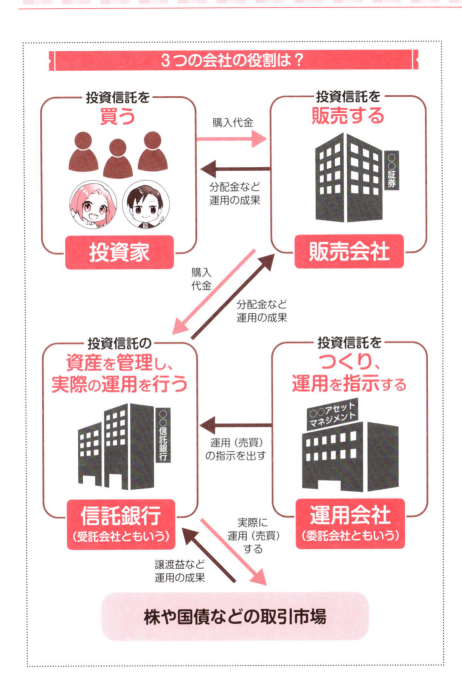

Part1

04

投資家は運用会社に注目しよう

成果の有無は運用会社次第

投資信託に関わる3つの会社——販売会社、信託銀行、運用会社のうち、**投資家にとって一番大事なのは運用会社**です。実際に投資信託を売っているのは販売会社なので、ついそちらに目が行きがちですが、投資信託でしっかりと成果（利益）を上げるためには、投資信託をつくり、運用の指示を出している運用会社にこそ注目しなくてはなりません。

運用会社が、適切な投資先を組み合わせて投資信託をつくり、的確な運用の指示を出すことで成果は上がります。

投資信託を売る販売会社や、実際の運用や資産の管理をする信託銀行がいくらよくても、

もともとの投資信託がよくなかったり、運用の指示がマズければ成果は上がりません。

運用会社は社名でわかる

運用会社は「投資信託委託会社」ともいい、多くは「○○アセットマネジメント」とか「○○投信」などの社名になっています。そして国内の会社の場合、比較的規模の大きいところは社名のはじめに野村、三菱、日興、大和《だいわ》、三井といった資本系列にある証券会社や銀行の名前がついています。

また外資系では、アメリカの**投資銀行**※であるゴールドマン・サックスや、JP《ジェイピー》モルガンなどの名前がついた運用会社があります。

用語解説

※**投資銀行**：株や国債、外国為替などの売買のほか、M&A（企業の合併・吸収）の仲介業務なども行う金融機関。

運用会社の主な業務

投資信託をつくる

➡投資信託が何に、どのように投資・運用するかなど、商品の中身を開発・設計する

資金の運用を指示する

➡経済・金融の情勢、企業の動向、株や国債などの取引市場の投資環境などを調査・分析する

➡運用（売買）の内容やタイミングを判断し、信託銀行に指示して実際の運用を行わせる

運用会社（投資信託委託会社）

「○○アセットマネジメント」「○○投信」「○○投資信託委託」「○○投資顧問」などの社名が多いです！

目論見書をつくる

➡投資信託を購入しようとする投資家に対して、投資信託の目的や特徴、運用実績、手数料などの重要情報を説明する「目論見書《もくろみしょ》」を作成・発行する （P.44 参照）

運用状況を伝える書類をつくる

➡投資家に対して「運用報告書」や「月次レポート」を作成・発行する （P.172 参照）

重要な業務ばかりじゃない！

だから運用会社が投資信託の成果を左右するといわれるんだね

Part1

05

関係する会社がつぶれても投資家の資産は守られる！

販売会社と運用会社に投資信託はない

投資信託は、関係する3つの会社（運用会社、販売会社、信託銀行）のどこか1つがつぶれても、**投資信託自体は守られる**という、安心できるしくみになっています。

まず、販売会社は投資信託を販売するなどの「業務」を行っているだけで、投資信託自体を「預かっている」わけではありません。ですから販売会社がつぶれても投資信託は無事です。

次に、運用会社も投資信託を社内で預かってはいませんから、つぶれても投資信託は無事です。

ただし、運用会社がつぶれてしまうと、投資信託の運用を続けられなくなるので、お金は投資家に払い戻されます。

信託銀行がつぶれても大丈夫

実際に投資信託を預かっているのは、信託銀行です。

信託銀行は、顧客の財産を預かる業務を行っていますが、**信託銀行自体がもつ資産と、顧客から預かった投資信託などの財産を分けて管理する**ように法律で定められています。

そのため、万が一、信託銀行がつぶれても投資信託は無事です。投資信託はほかの信託銀行に移されるか、解約されて払い戻されることになります。

3つの会社それぞれが、もしもつぶれたら…

販売会社

投資信託を
販売するだけで、**預からない**

→ **破綻しても大丈夫!**

運用会社

投資信託を
つくり、運用の指示を
出すが、投資信託は**預からない**

→ **破綻しても大丈夫!**

信託銀行

投資信託を
預かり、管理する

もしつぶれても…

信託銀行自体の財産と、顧客の財産を
分けて管理するように法律で決められているので

→ **つぶれても、**
投資家の財産である
投資信託は大丈夫!

主な投資先は株や債券、不動産など

株と債券が主な投資先

投資信託の主な投資先（投資対象）は、株（株式）と債券です。

債券とは、国や地方自治体、企業などが必要な資金を得るために、投資家からお金を借り入れた際に発行する、「借金の証文」のようなものです。国が発行するものを国債、地方自治体が発行するものを地方債、企業が発行するものを社債といいます。

また、債券と株にはそれぞれ取引をする市場があり、そこでは価格が常に変動しています。**値動きが激しいのは株のほうで、債券の値動きは比較的ゆるやか**です。

値動きが激しい株への投資は、大きな儲けが期待できる反面、価格変動などのリスク（Ｐａｒｔ2参照）は高くなります。

一方、値動きがゆるやかな債券への投資は、大きな儲けは見込めませんが、リスクは低く抑えられます。

不動産やコモディティも投資対象

投資対象にはこのほかに、不動産があります。投資信託が不動産に投資する場合は、「不動産投資信託（ＲＥＩＴ《リート》）」に投資することになります（96ページ参照）。

また、原油や金、大豆など「コモディティ（商品）」と呼ばれる〝モノ〟も投資先の1つです（98ページ参照）。値動きが大きいため、ハイリスク・ハイリターンの投資先です。

投資信託の主な投資先

債券

国　債…国が発行する債券
地方債…地方自治体が発行する債券
社　債…民間の企業が発行する債券
など

特徴 債券の市場価格は値動きがゆるやか

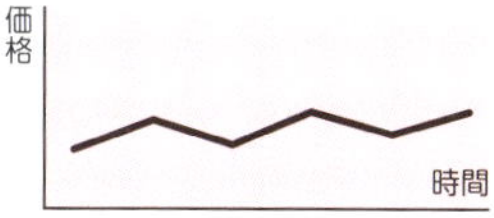

株式

証券取引所に上場*している企業の株式

* 証券取引所で株式が自由に売買されるようになること

（注）本書では株式を「株」と表記する

特徴 株式の市場価格は値動きが激しい

投資信託の投資先は？

不動産

投資信託の場合、投資先は「不動産投資信託（REIT）」になる

コモディティ（商品）

原油などのエネルギーや金（ゴールド）などの貴金属、大豆などの穀物　など

何に、どのくらい投資するかでリスクとリターンの程度など投資信託の商品ごとの特徴（特性）が出ます

Part1

07

投資先は国内だけでなく海外の株や債券も対象に

先進国、新興国に投資する

前項では、投資信託が「何に」投資するかを見ましたが、「どこに」投資するかも投資信託によって異なります。

投資先は日本国内だけでなく、海外も対象となります。大きく分けると、**アメリカやEU諸国などの「先進国」**と、これから経済成長が期待される**東南アジアやインド、中南米などの「新興国」**です。

海外への投資に関しては「カントリーリスク」といわれるものがあります。これは投資先の国の政治・経済などの状況が変化することに伴い、株や債券の取引市場に影響を及ぼして、それらの価値が変動する可能性（危険性）のことです。一般論として、このカントリーリスクは先進国のほうが低く、新興国のほうが高いといわれます。

以上のような、投資先の違いによる投資信託の種類を、左図にまとめました。

Check!

目論見書での投資先の分類は？

投資信託の目論見書（44ページ参照）では、投資先の「資産」を、「債券」「株式」「不動産投信（REIT）」「その他の資産（コモディティ（商品）など）」「資産複合（債券と株、債券と株と不動産など）」の5つに分類しています。また投資先の「地域」は、「国内」「海外」「内外」の3分類です。「内外」とは、国内と海外の両方に投資することです。

投資先の違いによる、投資信託の種類

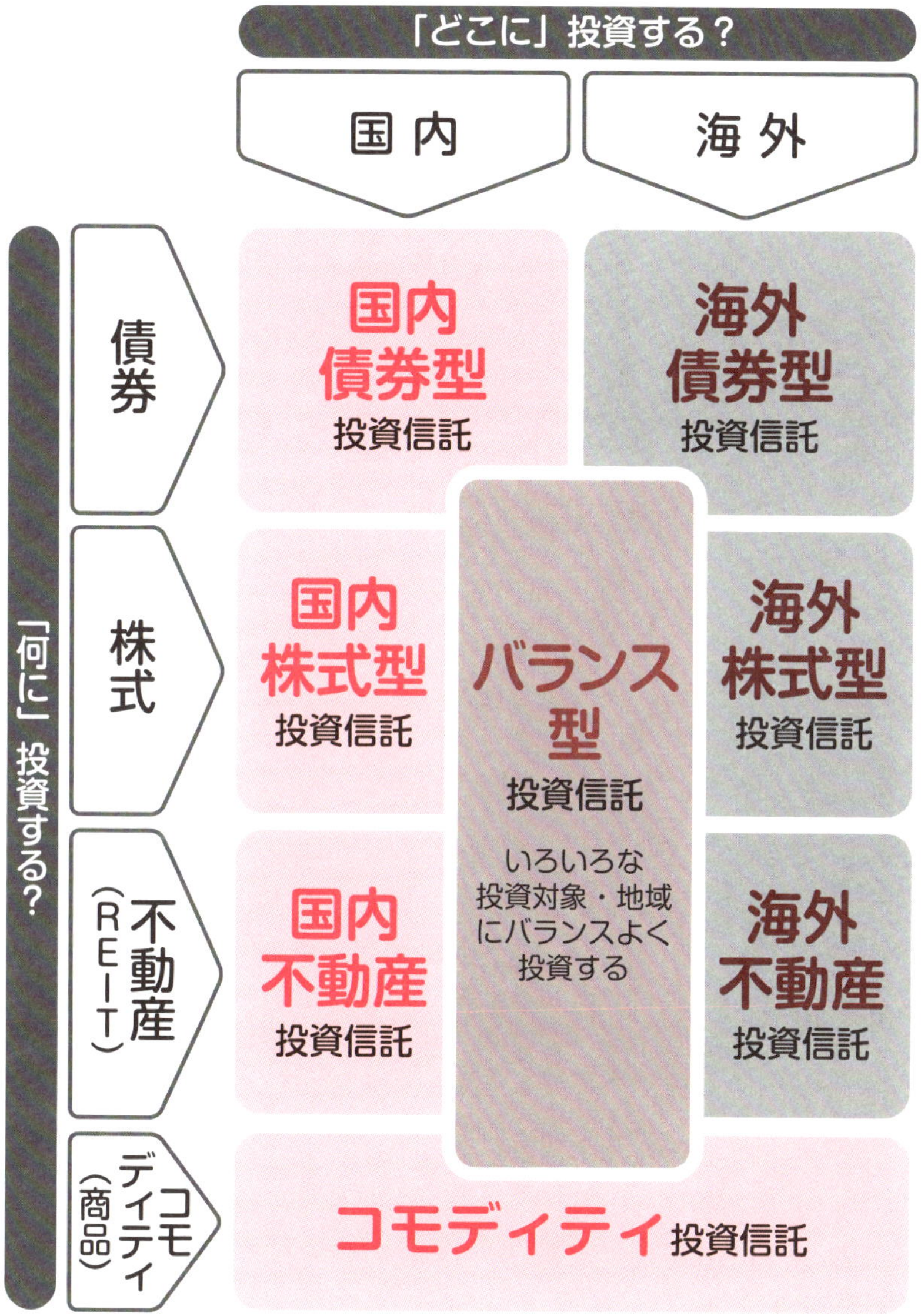

Part1

08

投資信託はどこで、いくらで買える？

銀行、証券会社など金融機関で購入

投資信託を取り扱う販売会社は、銀行や信用金庫、証券会社などの金融機関です。ゆうちょ銀行でも取り扱っているので、最寄りの郵便局でも買うことができます。

ネットで積立てなら100円から

また、**金額的にも気軽に買えます**。

投資信託を買うには、スポット（一括）で買う方法と、「積立て」で買う方法の2つがありますが（136ページ参照）、スポットなら1万円程度から、積立てなら月々100円～1000円程度から買えます。

例えば、ゆうちょ銀行で販売する積立てなら、毎月5000円から、1000円単位で買うことができます。

さらに、ネット証券を利用すればもっと安く、100円から買えるものもあります。

Check!

どこで買うのがおすすめ？

ネット証券は購入時手数料（60ページ参照）も全般的に安く、おすすめですが、証券会社などの店頭窓口は直接会って相談にのってもらえるというメリットがあります。また、日本で買える投資信託は約6000本ありますが、金融機関によって扱っている投資信託が異なります。そのため、販売会社を選ぶ前に、予算はいくらぐらいで、どんな投資信託を買いたいのか、あらかじめ決めておく必要があります。

投資信託を買うのはとてもカンタン！

どこで買える?

証券会社や**銀行**の窓口で

郵便局で

ネット証券のサイトで

いくらから買える?

	積立て買い 最低購入額	積立て買い 最低購入額単位	スポット買い 最低購入額	スポット買い 最低購入額単位
セゾン投信	5,000円/月～	1,000円単位	1万円以上	1円単位
ゆうちょ銀行	5,000円/月～*	1,000円単位*	1万円以上	1円単位
楽天証券	100円/月～	1円単位	100円/月～	1円単位

*インターネットでの購入の場合、1,000円以上、1,000円単位
（2023年7月現在）

どこで買ったらいいかは
予算はいくらぐらいで、どんな投資信託を
買いたいかで変わってきます

儲けの基本は「安く買い、高く売る」

購入時と売却時の価格差が儲け

株など、値段（株価）が刻々と変わる投資の基本は「安いときに買い、高いときに売る（売却する）」です。つまり、安いときの買い値と高いときの売り値の差が儲けです。これを**「譲渡益《じょうとえき》」といいます**。投資信託も同様に、**儲けの基本は買ったときと売ったときの値段の差、譲渡益**になります。

もっとも、投資ですから必ず譲渡益が得られるとは限りません。何かの事情で、買ったときの値段よりも安い値段で売ることになれば、逆に損をしてしまいます（譲渡損《そん》）。

投資信託は比較的、安心・安全な投資といわれますが、リスクはゼロではないのです。

短期的な投資には向かない

ニュースなどを見ると、株価や、日本円と米国ドルの為替レートなどの**相場**※は、時々刻々と変わっています。そのため、ごく短期間で儲けをねらう投資もあります。

一方、投資信託の値段は時々刻々と変わるものではありません。値段が変わるのは1日に1回だけです（42ページ参照）。

そのため、**投資信託は株や外国為替のように短期間で儲けをねらう投資には向きません**。もう少し長い目で見て、将来値上がりしそうな投資信託を買い、売ったほうがよいと判断できるまで、長期でもち続けることをおすすめします。

用語解説

※**相場**：株や債券、外国為替などが市場で取引される時々の値段。

投資信託の儲けの１つは「譲渡益」

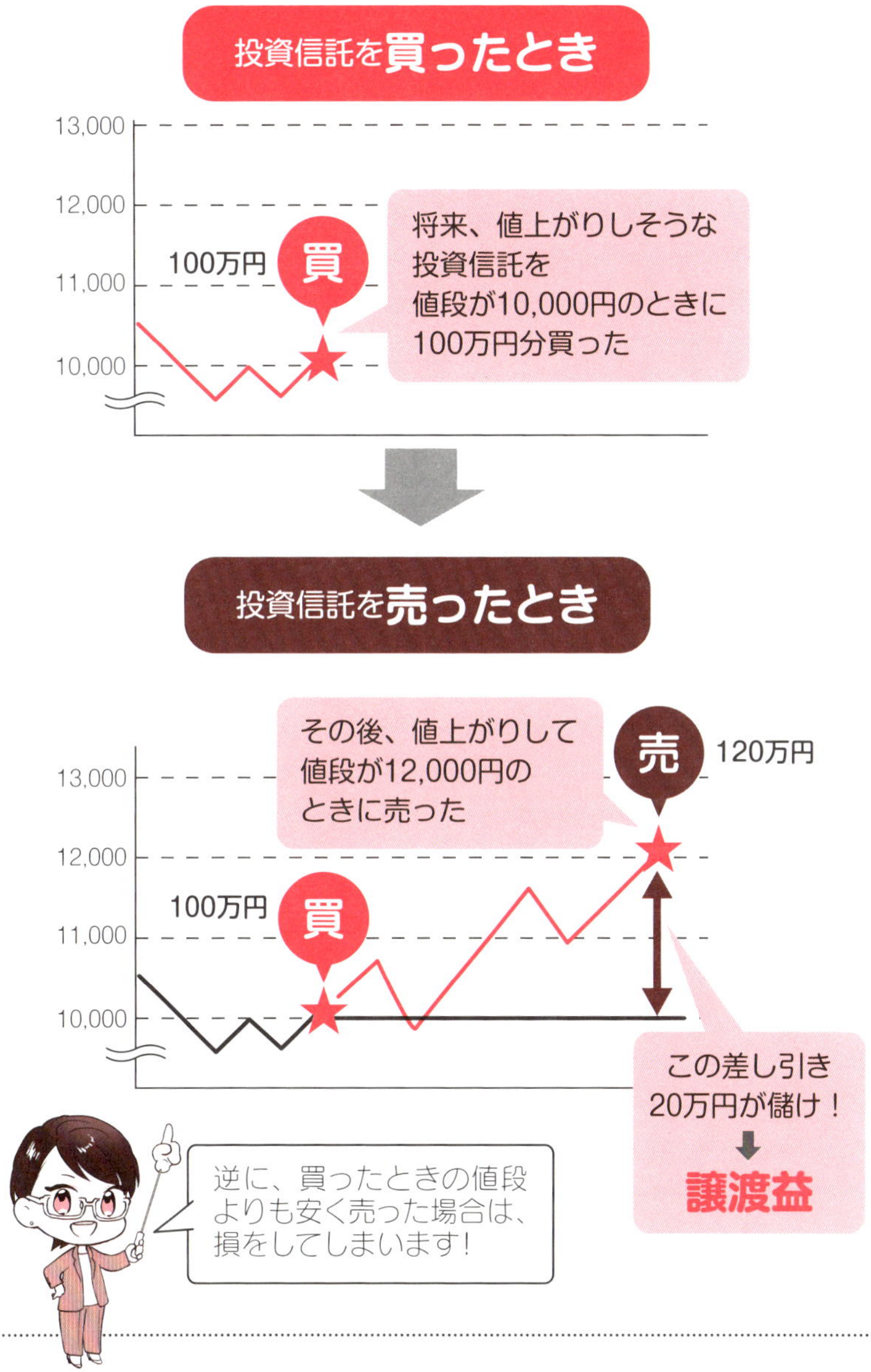

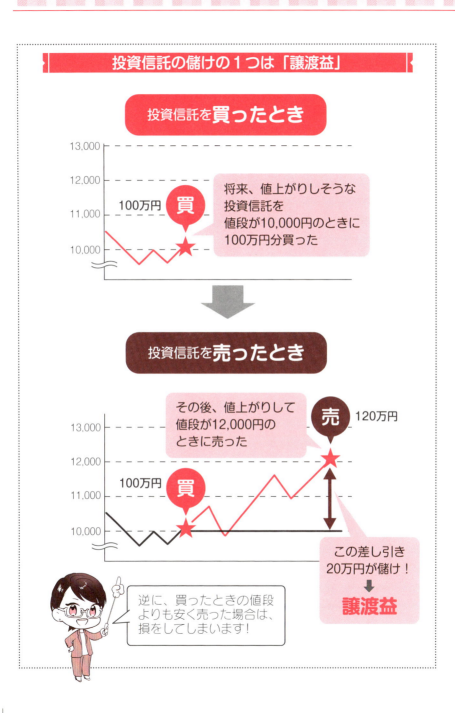

Part1 10

投資信託のもう1つの儲けは「分配金」

分配金は、再投資するタイプもある

投資信託で得られる儲けには、譲渡益のほかに**「分配金《ぶんぱいきん》」があります**。これは投資信託ごとに会社の決算と同様なことを行い、その際に投資家に分配されるお金です。

そういうと、運用して得られた成果（利益）がすべて投資家に分配されるようにも聞こえますが、そうではなく、**分配の回数や上限はあらかじめ方針が決まっています**。

また、分配金は必ずしもすべての投資信託で支払われるわけではありません。支払われない投資信託もありますし、利益が不足したときにもともと投資されたお金（元本）から分配金が支払われる投資信託もあります。そのため、分配金の回数と金額が多いからよいとか、少ないから悪いとかは一概《いちがい》にいえません。

回数は、多いものでは毎月分配されるタイプから1回も分配しないものまで様々です。分配金がないものの場合、分配しなかった分のお金は新たな投資に回される（再投資される。176ページ参照）ため、投資の効率はむしろこちらのほうがよくなります。

Check!

分配金が払われると投信の値段は下がる

分配金は投資信託が運用しているお金の中から支払われるので、支払われたあとは投資信託で運用する資産が減り、価値が下がってしまいます。価値が下がれば、投資信託の値段も下がることになります。

投資信託の儲け「分配金」の注意点

注意 分配金は運用の成果とは限らない！

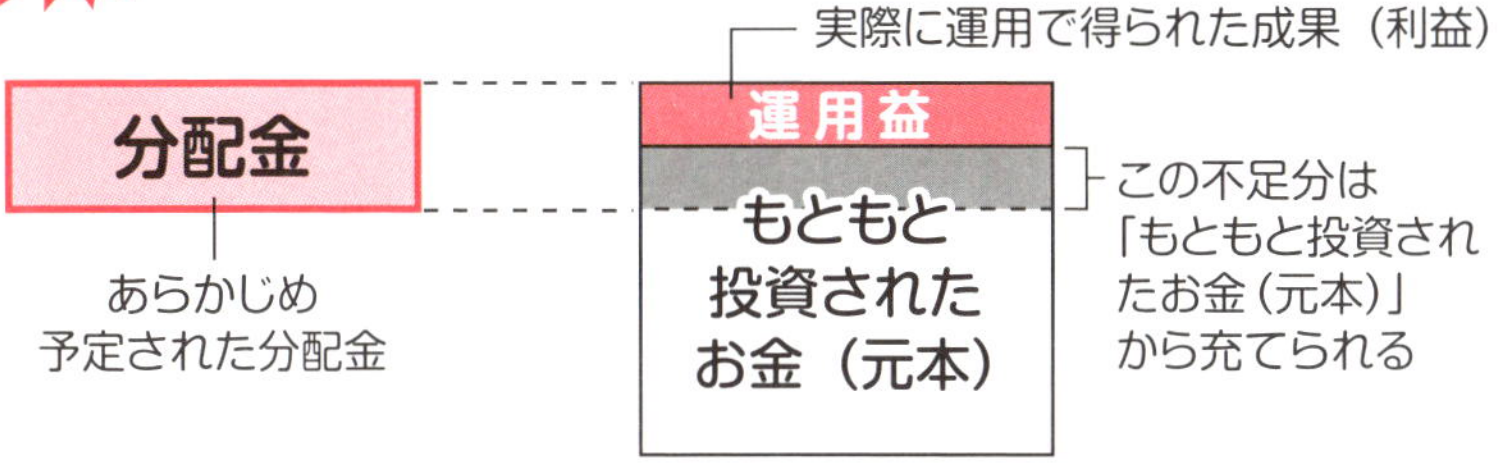

注意 分配金は「ある」タイプと「ない」タイプがある！

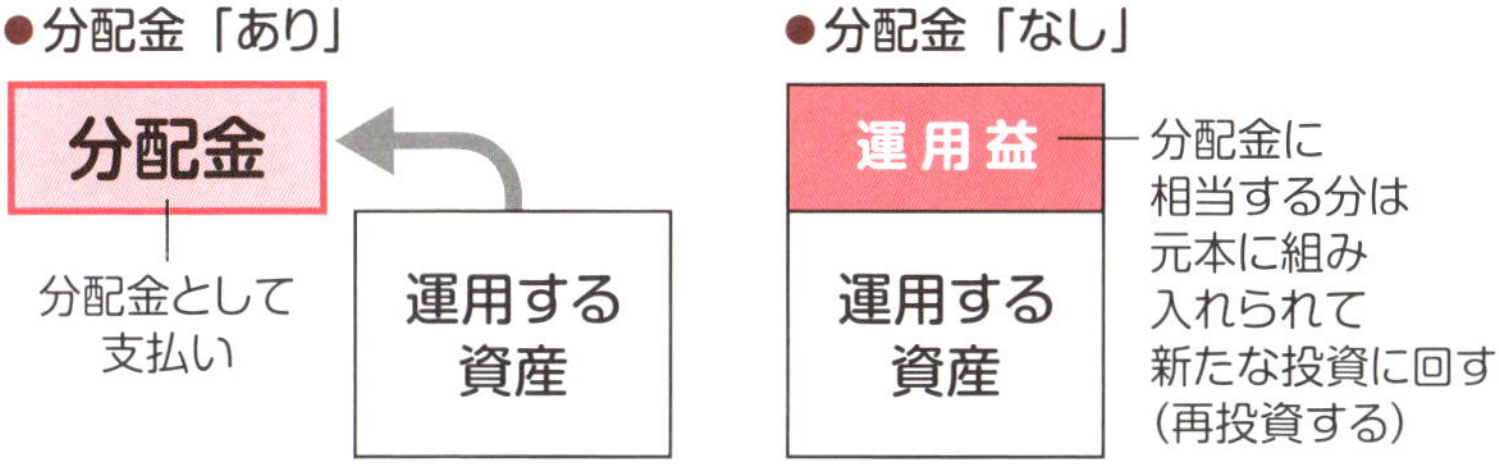

注意 原則、分配金が支払われると運用する資産は減る！

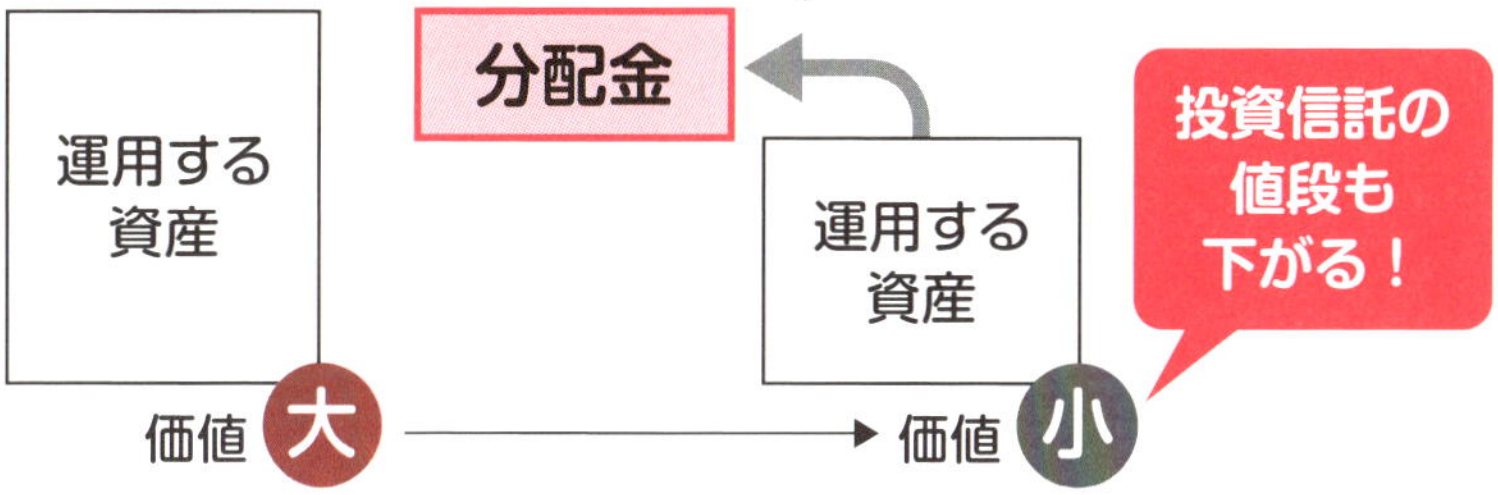

Part1

11

投資信託の値段＝「基準価額」はどうやって決まる？

1日1回だけ計算される

投資信託の値段、つまり株でいう株価にあたるのが**「基準価額《きじゅんかがく》」と呼ばれるもの**です。

基準価額は、**投資信託で運用している資産の総額を、投資信託の総口数《くちすう》で割って計算**します（投資信託では取引する単位を「口《くち》」という）。

投資信託の場合、資産の総額は運用で得られた利益で増えたり、分配金の支払いで減ったりします。また投資信託の口数も売買などで増減します。

そこで**1日に1回だけ、その日の基準価額が計算されます**。多くの投資信託は基準価額を1万円として運用を開始し、以後、日々変動していきます。

投資信託を買ったときの基準価額と、売るときの基準価額の差が、投資信託の譲渡益（または譲渡損）です。

投資信託から得られる儲けは、この譲渡益と、分配金を合わせたものになります。

Check!

投資信託の売り値や買い値はあとでわかる

投資信託の売り値や買い値は、申し込んだ日か、その翌日の基準価額になります。基準価額は1日の取引終了後に計算されるので、申し込んだ時点では正確な金額はわかりません。投資信託の売り値、買い値は、売ったあと、買ったあとにわかるものなのです。

投資信託の値段＝「基準価額」って何？

基準価額の計算方法

株価などが変動するので常に変わる

$$\text{基準価額} = \frac{\text{運用する資産の総額}}{\text{投資信託の総口数}}$$

※正確にはP.163参照

売買などがあるので常に変わる

1日1回だけ計算!

※基準価額は「1口=○○円」または「1万口=○○円」という単位で表示される

売り値、買い値は当日以降の基準価額

取引時間内に売り買いを申し込む
（時間外の場合は翌日扱いとなる）

→

取引時間終了後にその日の基準価額が計算される

売り買いの申込み時点では基準価額がいくらかわからない!

Part1

12

目論見書を読めば投資信託のすべてがわかる

運用方針や運用実績がわかる

あなたが「この投資信託が良さそうだな」と思ったら、急いで買ってしまわずに、まずは**目論見書《もくろみしょ》を読んで投資信託の内容を詳しく知る**ことが大切です。目論見書は「投資信託説明書」とも呼ばれ、文字どおり買いたい投資信託のすべてが説明されています。

投資対象の「地域」や「資産」、基準価額の推移、運用方針とこれまでの運用実績、分配金の分配方針なども、すべて目論見書に記載されています。そのほか、投資信託を買うときにかかる手数料（62ページ参照）や、申し込み手続きなどもわかります。目論見書の詳しい見方は168ページを参照してください。

ただし、運用方針などは計画段階の内容なので、実際とは異なる場合もあります。

交付目論見書は必ず読もう

目論見書には**「交付目論見書」と「請求目論見書」の2つ**があります。交付目論見書は投資信託を買う前に必ず交付される目論見書で、投資信託の目的や特色、どんなリスクがあるのか、手続きや手数料などの概要が書かれています。投資信託を買う際には、投資家がこの交付目論見書を読んだうえで買うことに同意することになっています。一方、請求目論見書は投資家の求めに応じて交付されるもので、投資信託の沿革など交付目論見書よりも詳しい情報が書かれています。

目論見書に書かれている主な情報

商品分類・属性区分

➡投資信託が「追加購入が可能か」「投資対象地区はどこか」「投資対象資産は何か」といった商品分類と、商品分類をさらに詳細に区分した属性区分が示されている

投資信託の目的・特色

➡目的・特色や、投資先を決めるプロセスがわかりやすくまとめられている

投資のリスク

➡基準価額を変動させる要因など、投資信託がもつリスクについて説明されている

手続き・手数料等

➡投資信託を買うとき、売るときにかかる手数料や、信託報酬、投資信託にかかる税金などがわかる

目論見書はネット証券のサイトや投資信託自体のホームページでも簡単に見ることができます

Part1

13

投資は「自己責任」で行うのが原則！

損をしても投資家の責任

投資信託は比較的、安心・安全な投資といわれますが、**元本保証はされません**。元本、つまり投資した額は、運用次第でそれ以下に減ってしまう可能性、損をしてしまう可能性があります。

ですから、投資によって得をしても、損をしても、どんな結果になろうとも、その責任は一切、投資家自身にあることを忘れないでください。これが投資をするときに心得ておいてほしい「自己責任」の原則です。

この原則を成立させるために、投資信託を販売する側には、投資信託に関するさまざまな情報を提供し、説明する責任があります。

しっかり自分で投資判断しよう

例えば38ページで、投資信託で儲ける基本は、投資信託の値段が「安いときに買い、高いときに売却する」ことだと述べましたが、何らかの事情によって、買ったときの値段よりも安い値段で売却しなくてはならないケースもあります。これを「価格変動リスク」（66ページ参照）といいますが、このリスクに限らず、投資信託にはいろいろなリスクがあります。

投資元本は保証されませんから、投資はできるだけ、当面使い道が決まっていない**「余裕資金」を使い、最終的には自分の判断と責任において行う**ようにしましょう。

投資は自己責任で行うのが原則！

元本保証される投資先

・個人向けの日本国債
（元本や利払いは国が保証）

など

金利は 0.1%以下で
ほとんど儲からないが
投資したお金は戻ってくる

元本保証されない投資先

・株
・投資信託　ほか
（投資先のほとんどは元本保証なし！）

大きな儲けも期待できるが
損失が出ることもある！
投資は生活に支障が出ない
余裕資金で行うべき！

**投資にはリスクがつきもの
得をしても損をしても
すべては自己責任であることを忘れずに!**

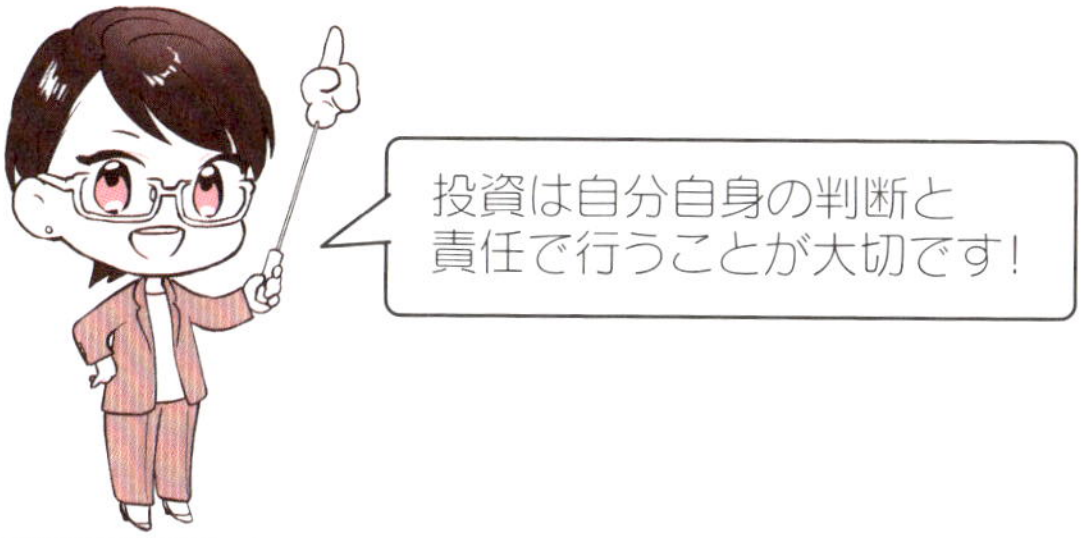
投資は自分自身の判断と責任で行うことが大切です！

コラム

「信託期間」「償還」とは？

投資信託の中には「信託期間」といって、運用する期間が５年とか10年などと、あらかじめ決められている（期間が限定されている）ものがあります。

投資信託が運用を終えて、清算をして、**投資家にお金を戻すことを「償還（しょうかん）」といいます**。また運用を終えた日を「償還日」と呼びます。

この償還には、次の２つがあります。

〈満期償還〉

当初決められていた信託期間が終了したことに伴う償還のことです。満期償還を迎えた投資信託の中には、運用成績がよいなどといった理由で、投資家に有利な場合は、当初決められていた信託期間を延長することがあり、これを「償還延長」といいます。

〈繰上償還〉

当初予定していた償還日よりも前に行う償還のことです。投資信託が運用目的を達成したときや、予定していた投資信託の純資産総額（P.162参照）を大きく下回って運用に支障をきたす場合など、早く償還したほうが投資家にとって有利になる場合に行われます。

信託期間については、とくにこれから投資信託を長く続けていこうと考えている人にとって、長期運用によって着実に利益を上げるチャンスがある、**信託期間「無制限」のものをおすすめします**。

Part

2

かかる費用と得する制度

あら
お2人は
お知り合い
だったん
ですね
ええ
投資セミナー
という名の
合コ…
!
ずもっ
むぐ!?
むぐぐっ
まぁ
ちょっとした
お知り合い
ですっ
お2人のことは
また次に来た
ときにでも
教えてくださいね
くすっ
まさか
ここで
再会する
なんて…
ハハ…
それでは早速
投資について
お話していきますね

事前アンケートでは
お2人とも投資信託に
ご興味がおありだとか
あはい
ネットで調べたら
初心者に
おすすめだって
いうので…
僕は
興味というか　大澤から
すすめられた
手前…
大澤さんの
顔を立てたんだ
結構
義理堅いのね
ふーん
そもそも
投資信託と
ほかの投資
（株やFX）の違いを
ご存知ですか？
えーと
私たちは
買うだけで
むずかしい
投資のことは
プロに任せられるん
ですよね？
森重さん
その通りです！
投資信託は
基本的に選んで
買うだけなんです！
へー

株式投資は選んで買ったあとも株価のチェックなどを自分でやらなければいけませんが
経済新聞
投資信託ならファンドマネージャーと呼ばれる投資のプロが利益が得られるように運用してくれます
投資信託
選んで買う
資金
お金が入る
投資家
運用で得られた利益を還元
運用する
債券
コモディティ
不動産
へぇ森重さんはお詳しいですね！
そそりゃあ当然…
確かにそうですね
仮にここに100万円あったとして
それを10年間銀行に預けたとしても
BANK
100万
得られる利息は数百円程度
10000
今どきお金を銀行に預けておくだけなんてもったいないもの！
うけ
うい

資金100万円で比較

銀行の定期預金（年利0.002%）		投資信託を買う（年3%の利益）
1年後		
100万20円	差額 **約3万円**	103万円
3年後		
100万60円	差額 **約9万円**	109万2,727円
5年後		
100万100円	差額 **約16万円**	115万9,274円
10年後		
100万200円	差額 **約34万円**	134万3,916円

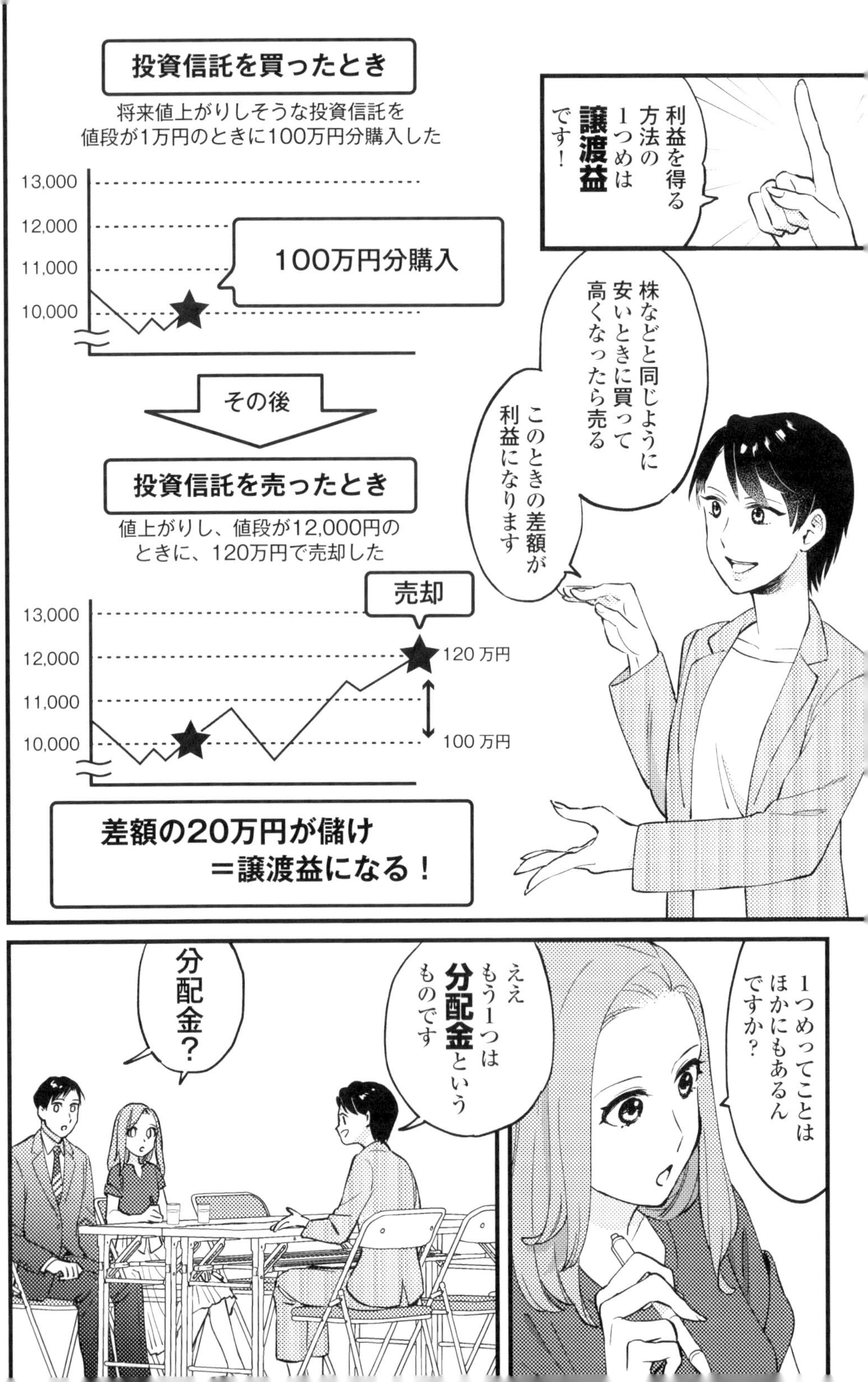

利益を得る方法の1つめは譲渡益です！
株などと同じように安いときに買って高くなったら売る
このときの差額が利益になります
投資信託を買ったとき
将来値上がりしそうな投資信託を
値段が1万円のときに100万円分購入した
13,000
12,000
11,000
10,000
100万円分購入
その後
投資信託を売ったとき
値上がりし、値段が12,000円の
ときに、120万円で売却した
売却
13,000
12,000
11,000
10,000
120 万円
100 万円
差額の20万円が儲け
＝譲渡益になる！
1つめってことはほかにもあるんですか？
ええ もう1つは分配金というものです
分配金？

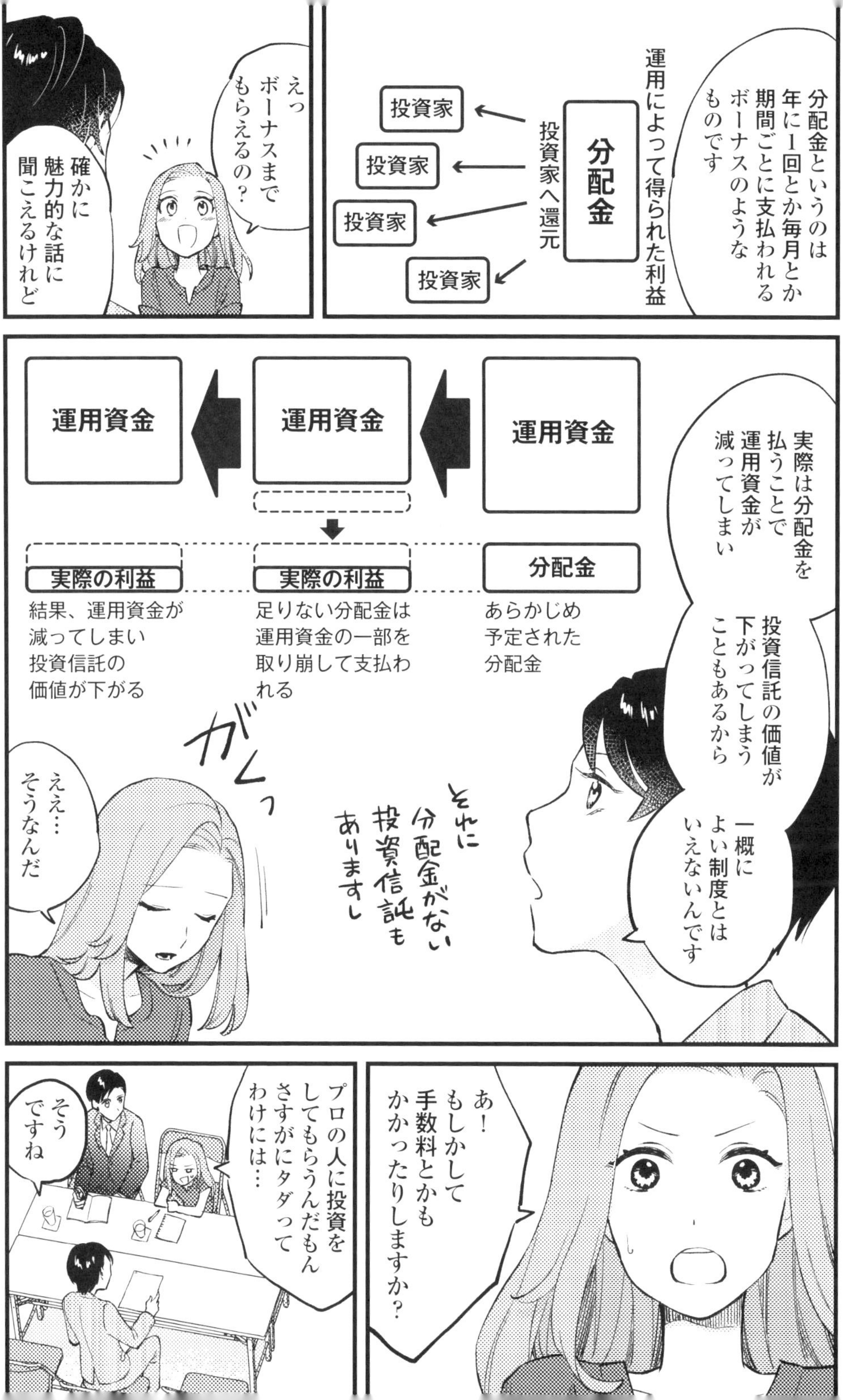
分配金というのは年に1回とか毎月とか期間ごとに支払われるボーナスのようなものです
運用によって得られた利益
分配金
投資家へ還元
投資家
投資家
投資家
投資家
えっボーナスまでもらえるの？
確かに魅力的な話に聞こえるけれど
実際は分配金を払うことで運用資金が減ってしまい
投資信託の価値が下がってしまうこともあるから
運用資金
分配金
あらかじめ予定された分配金
運用資金
実際の利益
足りない分配金は運用資金の一部を取り崩して支払われる
運用資金
実際の利益
結果、運用資金が減ってしまい投資信託の価値が下がる
一概によい制度とはいえないんです
それに分配金がない投資信託もありますし
ガくっ
ええ…そうなんだ
あ！もしかして手数料とかもかかったりしますか？
プロの人に投資をしてもらうんだもんさすがにタダってわけには…
そうですね

投資信託ではいろいろな費用（コスト）がかかります
やっぱりそうなんだ！
うー、
買うときは購入時手数料が
買うとき
購入時手数料
（販売会社に支払う手数料。手数料がない投資信託もある）
売るときはこちらの費用が
売るとき
信託財産留保額
（解約ペナルティの一種）
税金
（利益が出たときだけかかり損失時はかからない）
また税金は譲渡益や分配金で利益が出たときだけ支払うことになります
それにもっている間も費用が発生します
もっている間
信託報酬
（運用・管理にかかる費用。運用会社・信託銀行・販売会社で配分）
け…結構ありますね
コスト分の利益も出さないといけないとなると大変な気がしてきたぞ
うーん…
あ

そういえば税金がお得になる制度があるって聞いたことがありますけど…
ニーサやイデコですね
NISA《ニーサ》
（少額投資非課税制度）
NISA 口座＝非課税口座
毎年、一定金額の範囲内で購入した
金融商品の運用利益が非課税になる
iDeCo《イデコ》
（個人型確定拠出年金）
私的年金制度。毎月、一定額を積み立て
投資信託などの金融商品を自ら運用する
運用利益が非課税になる
どちらも条件を満たせば譲渡益などが非課税になるので利用するのがおすすめです！
そんな制度があるんだ

はー…
いろいろ勉強に
なっちゃい
ましたね
んーっ
そうですねー
まだ知識は
浅いですけど
プロの人が
ついてくれるし
もう少し勉強してから
やってみようかな
僕も
将来のこととか
気になるし
もう少し
勉強して
みようかな
それに今なら
森重さんと
一緒ですしね！
え⁉
森重さんが
一緒だと楽しくて
時間も
あっという間
でしたよ
ありがとう
ございます…
わあ、

あのっ…もしこのあとご予定がなければ…お茶でもしながら勉強会でもどうですか…？
ああ…すいません予定あるんです…
そうなんですか残念…
そうだ！よかったらLINE交換しませんか？
いろいろ情報交換もしたいですし！
そうですね…是非！
それじゃ今日はおつかれさま！
行っちゃった…
ぽつん
クスッ

Part2

01

購入代金のほかにかかる費用は手数料と税金

¥ 利益が出たら所得税がかかる

投資信託を始めると、いったい何に、いくらかかるのか――投資信託の費用と、それが少し得になる制度について見ていきます。

投資信託の購入金額のほかにかかる費用は、「手数料」と、利益が出たときの「税金」です。

これら費用の額によっては、せっかくの儲けがなくなってしまうこともあるので注意が必要です。

まず手数料は、買うときと、売るときのほかに、投資信託をもっている間もかかります。各費用は左図のとおりです。

また税金（所得税と住民税）は、譲渡益や分配金などで利益が出たときにかかります。

利益がないときや、投資信託を買ったときよりも、売ったときの価値が下がって譲渡損が出た場合には、税金はかかりません。

損をするリスクについては、このあと66ページで説明します。

¥ 税金面で得する制度がある

一方、投資信託にかかる費用が得になる制度があります。「NISA《ニーサ》」と「iDeCo《イデコ》」という税金面で得する制度です。

政府が、わが国でも一般の人の投資を盛んにしたいと考えてつくられた制度です。実際、これらの制度ができたおかげで、投資信託への投資はかなりお得になっています。

投資信託にかかる費用と、得する制度

投資信託にかかる費用

投資信託の購入代金 ＋ 手数料 ＋ 税金

投資信託でかかる手数料

買うとき → 購入時手数料（販売手数料）
➡P.62参照

もっている間 → 信託報酬（運用管理費用）
もっている間 → 監査報酬
➡P.62参照

売るとき → 信託財産留保額
➡P.64参照

投資信託で税金がかかるケース

①投資信託を売って譲渡益（売却益）を得たとき

②分配金（利益から支払われた分配金である「普通分配金」を受け取ったとき）

③投資信託が満期を迎えるなどで償還されるときに、投資信託の値段が購入時の値段を上回っていて、その差額分の利益（償還益）を得たとき

得する制度

NISA《ニーサ》（少額投資非課税制度） → どちらも税金が安くなる! ← iDeCo《イデコ》（個人型確定拠出年金）

Part2

02

買うときの手数料ともっている間の費用

買うときに払う購入時手数料

投資信託を買うときには、購入代金のほかに、**販売会社に支払う手数料である「購入時手数料」**（販売手数料）がかかります。

たいていは、投資信託の購入金額の何%という形で手数料がかかります。

この手数料率は目論見書に書かれていますが、高くて5%程度、プラス消費税と考えておけばよいでしょう。これは、**同じ投資信託でも販売会社によって手数料率が異なる場合があります**。

また、買うときの手数料が無料の投資信託もあり、「ノーロード」と呼ばれています（110ページ参照）。

運用・管理費にあてる信託報酬

次に、**投資信託をもっている間かかるのが「信託報酬《しんたくほうしゅう》」**（運用管理費用ともいう）です。これは投資信託の運用・管理にかかる費用で、年率何%という形で決められています。年率は0・1%台~2%台程度（プラス消費税）で、これも目論見書でわかります。ほとんど同じ対象に投資している投資信託でも、信託報酬の年率が違う場合があるので注意しましょう。

また「監査報酬」といって、投資信託の会計などが正しく行われているかを、外部の監査法人などからチェック（監査）を受ける際にかかる費用もあります。

買うときの手数料と、もっている間の費用

買うとき
に支払う手数料

→ **購入時手数料**

- ☑販売会社に支払う手数料
- ☑高くて５％程度
- ☑手数料率は販売会社によって違う
- ☑手数料無料（ノーロード）のものもある

もっている間
に支払う費用

→ **信託報酬**

- ☑投資信託の運用・管理にかかる費用
- ☑年率は0.1％台～２％台程度

→ **監査報酬**

- ☑投資信託は定期的に監査を受けることが法律で義務づけられており、それに関わる費用が発生する
- ☑金額は投資信託ごとに異なる

信託報酬は運用会社、信託銀行、販売会社で配分します

Part2

03

売るときの手数料と利益を得たときの税金

換金時には信託財産留保額を払う

投資信託を売る（解約する、換金する）ときにかかる手数料が「信託《しんたく》財産《ざいさん》留《りゅう》保《ほ》額《がく》」です。

投資信託は、ひんぱんに売り買いされると安定した運用に支障が出るため、売るときは一種のペナルティとして、換金された額の一部を投資信託に残すことになっています。

この手数料は、売却金額の何％という形でかかりますが、投資信託によって変わるので、買う前に目論見書などで確認しておくとよいでしょう。率は一般的に0・1〜0・5％程度（プラス消費税）です。

また、**信託財産留保額がかからない投資信託もあります**。

利益に対して税金がかかる

譲渡益や分配金など、**投資信託で得られた利益には、税金（所得税と住民税）がかかります**。税率は一律で、利益に対して**20※・315％**です（2023年現在）。

ただし、NISAやiDeCoを利用すれば、非課税扱いになるなど税金面での優遇が受けられます（70ページ以降を参照）。

また、投資信託で利益を得たときは、原則として確定申告が必要ですが、投資信託を売り買いする口座を「特定口座」の「源泉徴収あり」にすれば、自分で確定申告する必要はありません（132ページ参照）。

用語解説

※**税率20.315％**：所得税及び復興特別所得税15.315％と、住民税5％の合計。

売るときの手数料と、利益に対する課税

売るとき
に支払う手数料

→ **信託財産留保額**

- ☑解約に対するペナルティの一種
- ☑0.1〜0.5%程度
- ☑かからないものもある

利益を得たとき
にかかる

→ **税金**（所得税と住民税）

- ☑譲渡益や分配金などに対して課税される
- ☑税率は合計20.315%

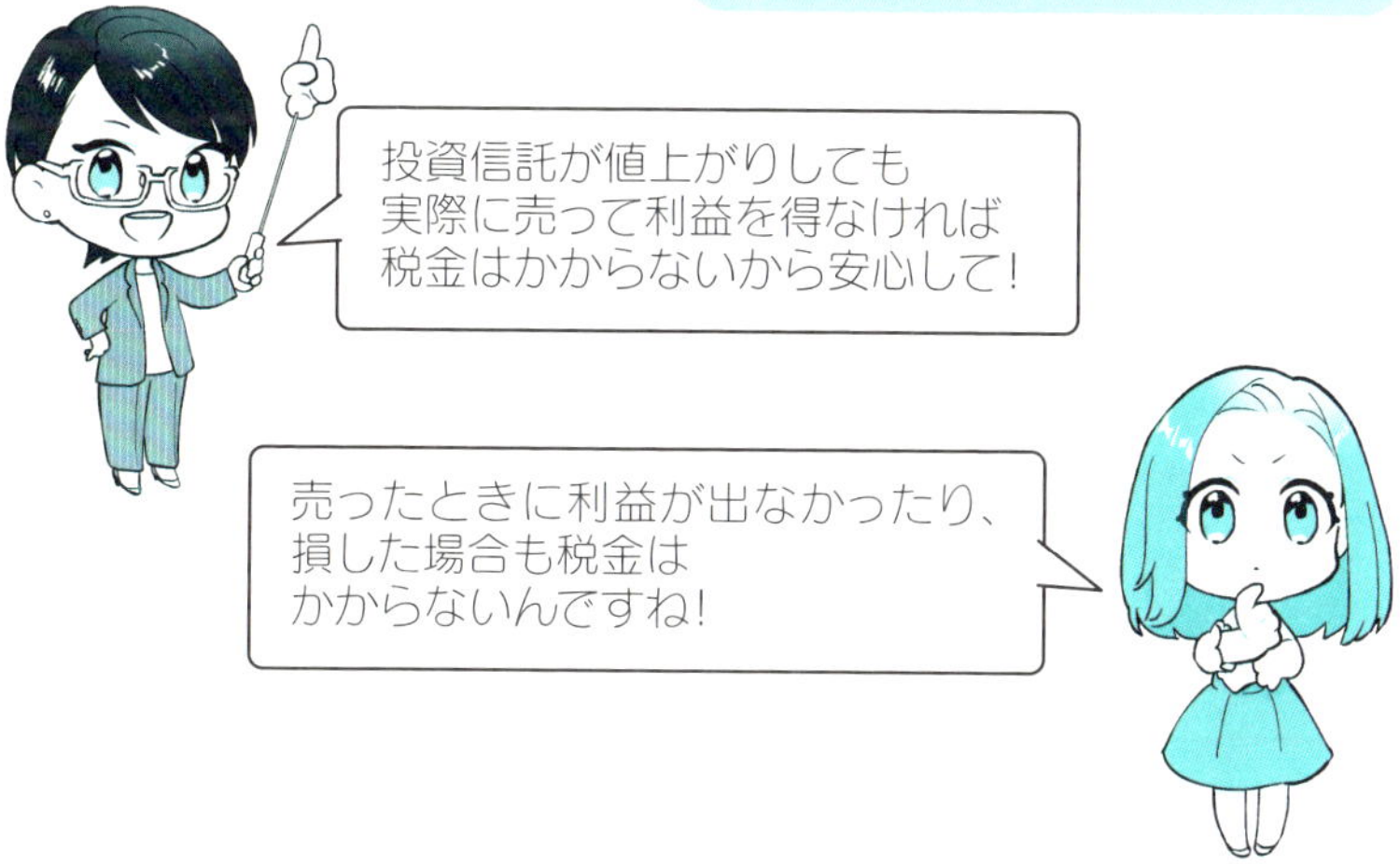
投資信託が値上がりしても
実際に売って利益を得なければ
税金はかからないから安心して！
売ったときに利益が出なかったり、
損した場合も税金は
かからないんですね！

Part2

04

投資信託にもリスクがある

投資先が値下がりするリスク

ここまで見てきたとおり、投資信託にはいろいろな費用がかかるうえ、それなりのリスクもあることを忘れてはいけません。どんなリスクなのか、次に見ていきましょう

投資信託は、株や債券などの値動きがあるものに投資しています。値上がりするものをねらって投資しますが、必ず上がるとは限りません。投資した株や債券がそれぞれの事情でたまたま値下がりすることもあるし、経済の状況の変化などで全般的に値下がりすることもあります。

投資先の値段が下がれば、投資信託の価値も下がり、売却すると損をします。これが**「価格変動リスク」と呼ばれるリスク**です。

値段が下がると、それまで運用で得た利益ばかりでなく、最初に投資したお金（元本）も減らしてしまうことがあります。**投資信託には元本が必ず戻ってくる保証（元本保証）はありません**。

Check!

リスクがあるから利益もある

投資先の資産の値段が下がると、投資信託の価値が下がりますが、逆に資産の値段が上がれば投資信託の価値も上がり、売って利益が出るようになります。投資先の価格変動はリスクの1つですが、値動きがあるからこそ利益を生み出すこともできるのです。

投資先が値下がりする「価格変動リスク」

価格変動リスクとは

投資信託が投資した**株や債券の価格**は、企業の業績や国内外の経済・金融の状況の変化などの影響を受けて**常に変動する**

↓

それに伴い、**投資信託の価値**（基準価額）も**常に変動する**

株や債券の価格 ↗ 上がれば… → 投資信託の基準価額 ↗ 上がる → 利益となる

株や債券の価格 ↘ 下がれば → 投資信託の基準価額 ↘ 下がる → 損失となる

投資家が最初に投資したお金（元本）は保証されません（元本保証なし）！

Part2

05

為替レートや金利の変動もリスクになる

外国に投資するリスク

投資信託が抱えるリスクはまだあります。例えば、**外国の株や債券に投資している場合は「為替変動リスク」があります**。

外国の株や債券に投資するときは、日本円をその国のお金と交換する必要があります。その交換の比率（為替レート）は時々刻々と変わっているため、投資信託の損になる場合があるのです。

このような投資信託の場合、一般的には、**円高**※になると、投資信託の価値（基準価額）が下がります。これが為替変動リスクです。逆に、**円安**※になった場合は、投資信託の価値は上がり、利益につながります。

信用リスクと金利変動リスク

また、債券などを発行している国や企業が、国の財政難や企業の経営不振によって、途中で利息を払えなくなったり、償還日《しょうかんび》（48ページ参照）がきてもお金を返せないことがあります。

これを**「信用リスク」とか「デフォルト（債務不履行《ふりこう》）リスク」**といいます。

このほか、とくに国債や地方債などの債券には、金利の変動に伴う投資信託の価格変動リスク**（金利変動リスク）**があったり、海外の投資については34ページで説明した**「カントリーリスク」**があります。

用語解説

※**円高・円安**：円高は、外国通貨に対する日本円の価値が上がっている状態。逆に価値が下がっている状態を円安という。

投資信託が抱えるさまざまなリスク

為替変動リスクとは

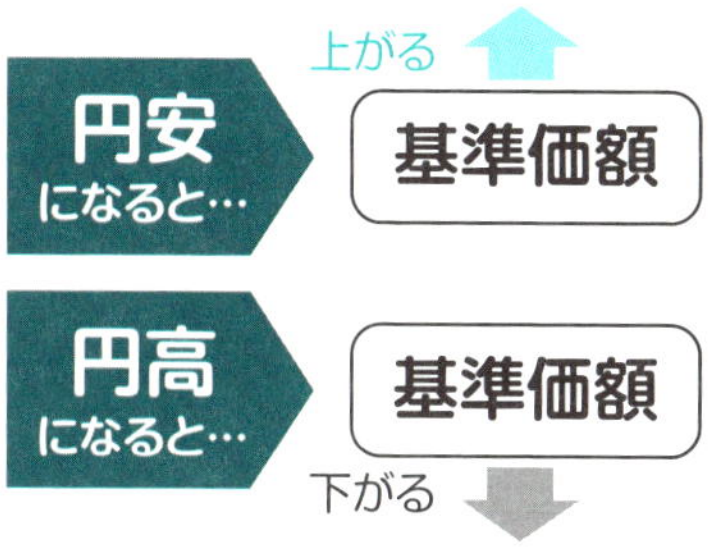

▶為替レートが変動して、外国に投資したお金の価値が下がり、投資先が損失をこうむるリスク

※あくまで一般論として。

信用リスク（デフォルトリスク）とは

▶債券を発行した国や企業の状態が悪化するなどして、利息が払われなかったり、投資したお金（元本）を返してもらえなくなるリスク

金利変動リスクとは

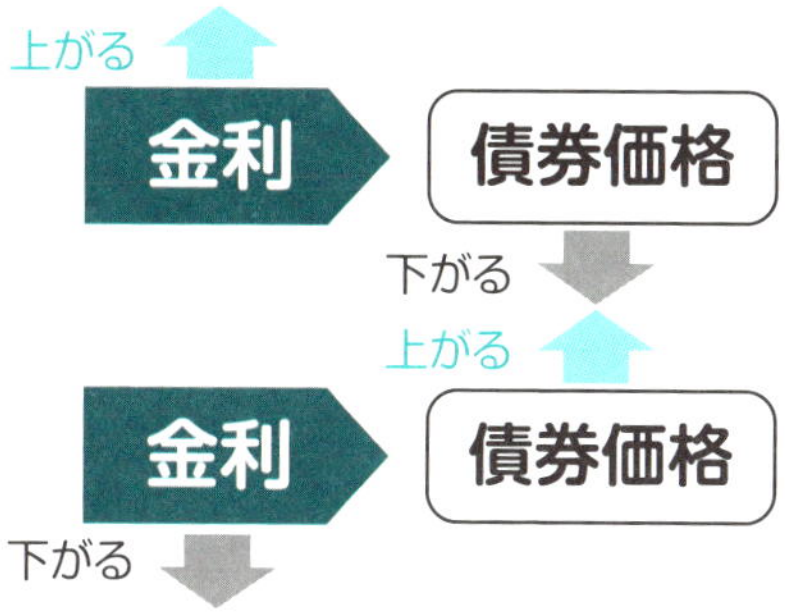

▶金利の水準が上がって、債券の価格が下がり、運用している資産が損失をこうむるリスク

06 NISAなら利益が出ても税金はゼロ！

最大1800万円の投資が非課税に

投資や資産運用に馴染みがなく、もっているお金はほとんど貯蓄に回す人が多いわが国では、個人の投資をもっと盛んにしようと、政府がいろいろな政策を行っています。その1つが**NISA**※《ニーサ》です。正式名称は「少額投資非課税制度」。つみたて投資枠と成長投資枠という2つの枠を使って、年間で合計360万円、生涯で最大1800万円の投資額（投資信託などの購入額）まで、**譲渡益などの利益にかかる税金（税率20・315％）がゼロになる**という、税金面での優遇措置がある（税制優遇）制度です。制度自体は以前からありますが、2024年から投資の上限額や非課税期間などが拡大され、**新しいNISA、新NISA**などと呼ばれています。

口座での運用・非課税の期間は無期限

NISAはまず、証券会社や銀行で専用の口座をつくります（134ページ参照）。最初の1年は、その口座を使った合計360万円（つみたて投資枠120万円、成長投資枠240万円）までの投資で得られた譲渡益などが非課税になります。その翌年には、また別に合計360万円の非課税枠がもらえるので、合計720万円。こうして投資額を増やしていき、**最大1800万円の投資額を無期限に運用**して、得られた利益が全額、非課税になります。

用語解説

※**NISA**：Nippon Individual Savings Accountの略。

新しいNISAで税金がゼロになるしくみ

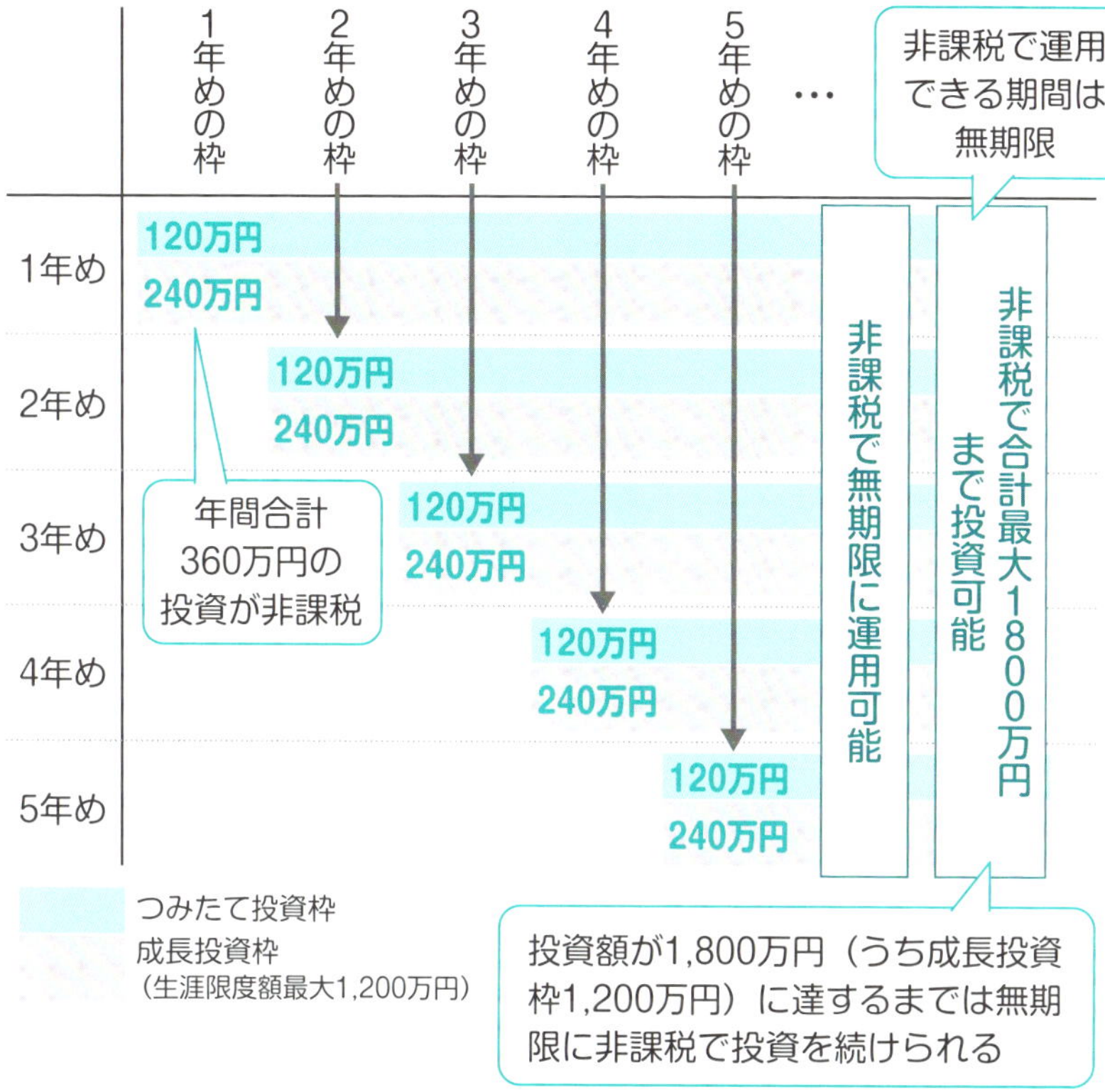

最大1,800万円までの
投資で得られた利益（分配金や譲渡益など）
が非課税扱い（税金ゼロ）に！

例）2024年にNISAの専用口座で、つみたて投資枠120万円、成長投資枠240万円の投資信託を買った場合
➡上記360万円分の投資信託で受け取る分配金は、将来に渡ってすべて非課税の扱い
➡360万円分の投資信託が、それ以上の価格に値上がりしたときに、将来のどの時点で売却して譲渡益を得ても非課税の扱い

Part2

07

つみたて投資枠と成長投資枠を活用しよう

2つの投資枠を併用できる

2024年スタートの新しいNISAの最大の特徴の1つが、**つみたて投資枠と成長投資枠を併用できる**点です。以前は、つみたてNISAと一般NISA（旧）の併用はできず、原則としてどちらか一方を選ばなければなりませんでした。

せっかく併用ができるのですから、つみたて投資枠と成長投資枠のそれぞれの特徴を知って、上手に使い分けたいものです。

どれくらい節税できるか

つみたて投資枠と成長投資枠の年間、生涯の限度額などは左表のとおりです。生涯の非課税保有限度額は合計で最大1800万円ですが、そのうち成長投資枠は最大1200万円です。買える金融商品にも違いがあり、つみたて投資枠は一定の基準を満たして金融庁の基準を満たした**投資信託**だけなのに対し、成長投資枠では**上場株式**なども買えます。

では、NISAの最大の特徴である非課税の効果はどれくらいでしょうか。

それぞれの非課税限度額を20年間で目一杯使うとして、シミュレーションしてみたのが左下の図表の例です。積み立てた元金1800万円に対して、運用益が合計で約670万円出ていますが、もしNISA口座でなかったら、そのうちの**約130万円を税金として支払う**ことになります。

つみたて投資枠・成長投資枠の特徴

つみたて投資枠と成長投資枠の比較

		つみたて投資枠	成長投資枠
制度の選択		同時に併用可	
投資枠	年間投資枠	120 万円	240 万円
		合計 360 万円	
	非課税保有限度額※1	合計 1,800 万円	
		1,800 万円	1,200 万円
投資期間	制度実施期間	2024 年 1 月～（制度恒久化）	
	口座開設期間	恒久化	
	非課税保有期間	無期限	
投資対象年齢		18 歳以上	
投資対象商品		長期の積立て・分散投資に適した一定の投資信託	上場株式・投資信託など※2
購入方法		積立て	スポット（一括）・積立て

※1　総枠。簿価残高方式（取得価額で計算する。売却して枠が空いたら、翌年に新しい商品を買って再利用可）。
※2　信託期間 20 年未満、毎月分配型など、一定の投資信託等は除外される。

新しいNISAの運用シミュレーション

例　つみたて投資枠で毎月2.5万円、成長投資枠で毎月5万円の積立て投資を20年間行い、利回り3%で運用した場合、節税額や元利合計はいくらになるか（月複利で計算）

	つみたて投資枠	成長投資枠	合計
元　金	6,000,000 円	12,000,000 円	18,000,000 円
運用益	2,227,912 円	4,455,978 円	6,683,890 円
節税額	433,952 円	866,138 円	1,300,090 円
元利合計	8,227,912 円	16,455,978 円	24,683,890 円

Part2

08

私的年金制度iDeCoとはどんなもの？

65歳になるまで毎月定額を積立てる

投資信託を買うときに、NISAと並んでもう1つ知っておきたいのが**iDeCo**《イデコ》※です。

iDeCoは、国民年金などの公的年金制度とは別に、**個人が老後資金を自分で用意するための私的年金制度**です。

税制優遇があり（詳しくは次項を参照）、iDeCoを利用した投資で得られた利益は、非課税扱いとなります。

制度の内容は、まずiDeCoを利用する人（加入者）は、最長65歳になるまで、毎月、決まった金額を積み立てて、そのお金を投資信託や銀行の定期預金などで運用します。この積み立てるお金を「掛金《かけきん》」といいます。

60歳以降に年金か一時金で受け取る

掛金は、月額5000円からで、上限額は加入者の公的年金制度の加入状況などで決められています（左図参照）。

この掛金の投資先（運用する商品）には、投資信託など元本の保証がない「元本変動型」と、定期預金など元本が保証される「元本確保型」があり、加入者が選べます。

そして、積み立てた掛金と、運用で得られた利益の合計額は、**加入者が60歳になったときから75歳までの間**に、毎年分割払いされる「年金」か、または一度にまとめてもらう「一時金」の形で受け取り始めます。

用語解説

※iDeCo：個人型確定拠出年金

知っておきたいiDeCoの中身

iDeCo《イデコ》とは

☑最長65歳になるまで、決まった額の掛金を積み立て、それを投資の元手として、投資信託や預貯金などで運用

☑その後、60〜75歳の間（受給開始時期）に、掛金と、運用益を、年金または一時金の形で受け取る

掛金の上限額は…

2023年7月現在

第1号被保険者	自営業者など	月額 6万8,000円 年額 81万6,000円
第2号被保険者	会社員（企業年金なし）	月額 2万3,000円 年額 27万6,000円
	会社員（企業型確定拠出年金あり）	月額 2万円 年額 24万円
	会社員（確定給付年金あり）	月額 ※1万2,000円 年額 14万4,000円
	公務員など	月額 ※1万2,000円 年額 14万4,000円
第3号被保険者	専業主婦など	月額 2万3,000円 年額 27万6,000円

※2024年12月から月額2万円に引き上げ。

運用商品は…

選んだ金融機関が扱っている商品に限られる

※他制度の掛金など一定の要件あり。

元本変動型
- 積み立てた掛金は保証されない
- 主に投資信託で運用される

元本確保型
- 積み立てた掛金は保証される
- 定期預金と保険商品で運用される

※2つを組み合わせたものもある

Part2 09

iDeCoも利益にかかる税金はゼロ！

老後資金づくりに最適な制度

iDeCoの一番の魅力は、税金面での優遇が手厚いことです。この点ではNISAよりもお得な制度になっています。

iDeCoの場合、次の3つのタイミングで税制優遇が受けられます。

①積み立て時

まず、iDeCoの**掛金は全額が所得控除の対象**になります。つまり、掛金全額分を、税金の計算のもとになる所得金額から差し引き、残った額で税金が計算されるため、毎年の税金が安くなります。

②運用時

次に、投資で得られた**運用益（利子、配当、譲渡益など）は、すべて非課税扱い**となります。本来ならば、所得税と住民税を合わせた20・315％の税率がかかりますが、この税金がゼロになります。

③受け取り時

さらに、60歳以降に「年金」の形でお金を受け取る場合、**年金分が毎年、公的年金等控除の対象となる**ため、税金が安くなります。

また年金ではなく「一時金」で受け取った場合は、退職金と同様に退職所得控除の対象となり、この場合も税金が安くなります。

老後の資金づくりにはぜひ活用したい制度といえますが、1つ注意したいのは、iDeCoは年金なので、**60歳になるまではお金を引き出すことができない**点です。

iDeCoはこんなにお得な制度！

iDeCoは
次の3つのタイミングで
それぞれ税制優遇が受けられます！

①積み立て時

掛金は全額、所得控除の対象となり、税金（所得税、住民税）**が安くなる**

②運用時

運用益※は非課税扱いになる

※定期預金の利子や、投資信託の配当、譲渡益（売却益）など

③受け取り時

iDeCoで受け取った年金は、公的年金等控除の対象となり、税金（所得税、住民税）**が安くなる**

こんなにいろいろ節税できるんだ
とてもお得な制度ね！

Part2

10

NISA、iDeCoの利用は専用の口座をつくる

専用口座は1人1口座

NISA《ニーサ》、iDeCo《イデコ》を利用するには、新たに専用の口座を開く必要があります。この専用口座は1人1口座しか開設できません。

ここではまず、iDeCoの口座開設について説明します（NISAは134ページ参照）。

iDeCoの口座開設は、公的年金の被保険者である、20歳以上65歳未満の人なら、ほぼ問題なく、簡単にできます。また、**企業型確定拠出年金**※に加入している人は加入状況に応じてiDeCoに加入できます。

大事なのは金融機関選び

口座の開設は、左図の手順で金融機関に申し込めばスムーズに進むはずです。

ただ、その前にしっかり調べておきたいことがあります。それは、**各金融機関の運営管理手数料と、扱っている投資先（運用商品）**です。

手数料や扱う商品の種類は、金融機関ごとに異なるので、自分が納得できる内容の金融機関を選ぶ必要があります。

とくに運用商品は、選んだ金融機関が扱っている商品の中から選ぶことになるため、金融機関選びが重要です。

あとから金融機関を変えることもできますが、いったん運用商品を現金化しなくてはならないなど、いろいろと面倒や不利があります。

用語解説

※**企業型確定拠出年金**：掛金は企業が払い（拠出し）、将来受け取る年金づくりの運用は社員自身が行う制度。

iDeCoの専用口座を開く手順

Step1 運営管理手数料と運用商品を調べる

☑金融機関ごとに、手数料の額と、扱う商品が異なるので、事前にチェックしておくことが大事

Step2 金融機関（運用管理機関）に書類を請求

☑申込み書類は、金融機関が「申込みキット」の形で用意している

☑自分が公的年金の「何号被保険者」なのかを確認して申し込む （P.75参照）

Step3 証明書などを用意

☑勤務先の「事業主証明書」などが必要になることがある

☑年金手帳の「基礎年金番号」の確認も必要

Step4 金融機関に書類を提出

☑書類は国民年金連合会に送られ、公的年金の加入状況や、掛金の上限額のチェックなどが行われる

☑チェックが済むと「お知らせ」が送られてくる

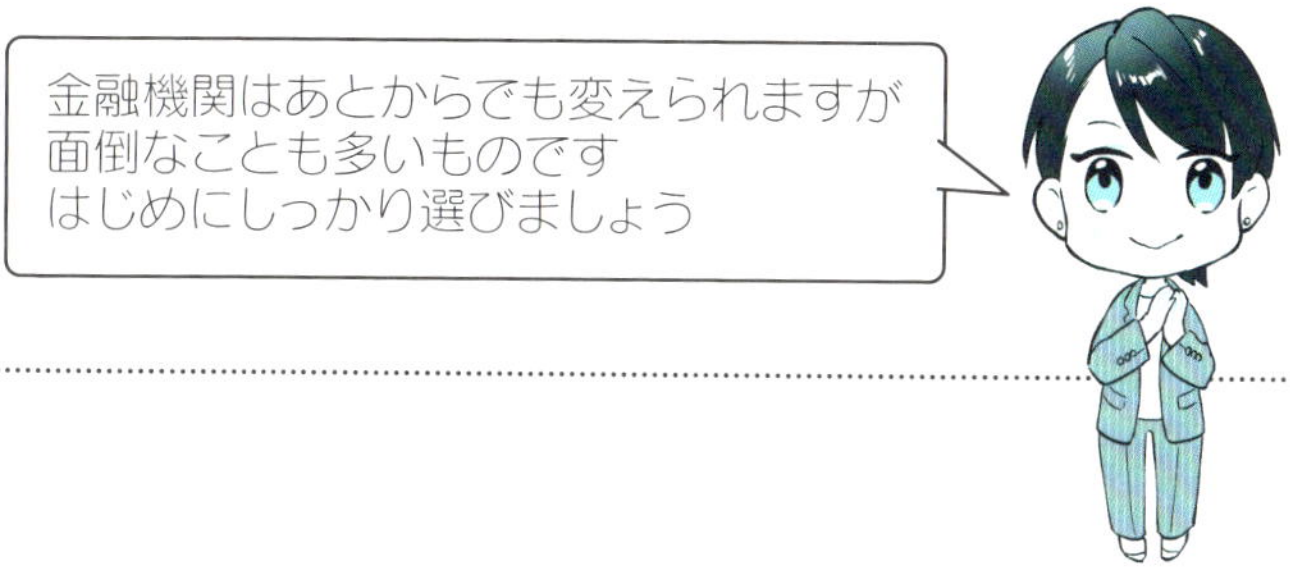
金融機関はあとからでも変えられますが
面倒なことも多いものです
はじめにしっかり選びましょう

コラム

為替ヘッジ「あり」「なし」とは？

68ページで説明したとおり、**海外の株や債券に投資する投資信託には「為替変動リスク」があります**。為替レート（2国間の通貨交換の比率）の変動により、一般的に円高になると投資信託の基準価額が下がり（損をする）、逆に円安になると基準価額が上がります（得をする）。

円高で発生した損失を「為替差損」、円安で発生した利益を「為替差益」といいますが、**この為替差損益をできるだけ出さないように抑える行為が「為替ヘッジ」**です。為替ヘッジがどのように行われるかは専門的な話なのではぶきますが、投資家は為替ヘッジをする「為替ヘッジあり」か、それとも為替ヘッジをしない「為替ヘッジなし」のどちらかを選ぶ必要があります。

「為替ヘッジあり」を選んだ場合は、**そのためのコストがかかります**。投資家が直接払うものではありませんが、信託財産から差し引かれるので基準価額の引き下げ要因となります。また「為替ヘッジあり」だと、円高のときの為替差損は抑制されますが、**円安のときの為替差益も抑制される**ことになってしまいます。

為替変動の影響を受けずに安定した運用をしたいなら「為替ヘッジあり」を選び、今後円安に向かう見通しがあり、為替差益をねらいたいなら「為替ヘッジなし」を選ぶのが一般的です。

Part 3

種類はいろいろ。選び放題！

…しかし
お茶断られた
くらいで
そんなに
落ち込むかね…
そうなのよ…
まさか自分でも
こんなに
ダメージ受けると
思わなかった…
連絡こない
自分から
連絡入れれば？
投資の話
すりゃいいじゃん
そうなんだけど！
それで既読
つかなかったら
ショックだし！
がばっ
既読ついて
返信なかったら
ショックだし〜

今日び
女からでも行動しないと
何も始まらないわよ!!
「次のセミナー
いつでしたっけ」
とか送んなさい!
う…
ううーん…
うわっ!?
「次のセミナー
いつでしたっけ」
おおっ?
濱田事務所
それでは
今日は
投資信託の
種類について
お話したいと
思います

投資信託の種類…
まず株を中心に投資する投資信託には
運用の仕方の違いでインデックス型とアクティブ型という2つの種類があります
キュッ
キュッ
インデックス型とは投資信託の値動きが日経平均株価などの目標とする指数と連動するような運用をめざす投資信託です
連動させる
インデックス型の値動き
目標とする指数
一方、アクティブ型は目標とする指数を上回る成果を得られるような運用をめざす投資信託です
目標の指数を上回る
アクティブ型の値動き
目標とする指数
ってことはアクティブ型のほうがリターンが大きい投資信託ってことですよね

	インデックス型	アクティブ型
リスク	市場平均※程度（リスクはできるだけ抑える）	リスクは高いものが多い
リターン	市場平均程度	市場平均を上回ることをめざす
コスト	低め	高め

※市場平均：日経平均株価やTOPIXなど市場や商品の「平均値」をあらわす各種指数

投資信託はこのほかにもいろいろな種類に分けられます
何に投資するか
きゅきゅっ
債券型
株をいっさい組み入れず債券だけで運用する
株式型
株も組み入れて運用する
バランス型
バランスよく分散投資して運用する
いつ買えるか
オープン型
いつでも買える
ユニット型
購入の募集期間中のみ買える
など
これだけあるとさすがに迷いますね
う〜ん…
先生はどれがおすすめなんですか？
それにはまず投資信託を買うにあたって皆さんの基本的な考え方を決める必要があります
それって投資方針っていうやつですか？

……森重さん もしかして 勉強してきました？
じつは ちょっとだけ 解説本を読んだり
へぇえ〜
…意外 ですか？
そうですね！
ひどっ
ははっ
コホン
はっ
スミマセン
仲良しだな〜

はじめに投資方針を決めておくのはとても大切です
例えばリターンはどの程度期待したいとかリスクはどこまでとれるとか…
あとは予算なんかもですね？
そのとおりです！
森重さん…しっかり考えてるんだな…
おつかれ様でした！
失礼しまーす

そういえば
日にち教えてくれて
ありがとう
ございました
ああ
いえいえ
よく考えたら
セミナーの日取りなんて
自分で調べればよかったですね
全然
構いませんよ
これからはちゃんと
自分で調べます
え
いや…
いやいやいや…！
それは困ります！
え？
はっ
えぇーと
困ることなんてないんで
むしろ
よければ
その…

これからも私から
セミナーの予定
送らせてくださいっ
ドキ
……
だ…
だめですか？
あっ
いえ
もちろん
お願いしたいですっ

ええと
そうだ…
今度のお休み
勉強会も兼ねて
お食事でもどうですか？
えっ…!?
この前
お茶できなかった
お詫びもしたいし…
予定連絡
してくれる
お礼も兼ねて…
どうでしょう？
は
はいっ！
ぜひ
お願いします!!
ビクッ
ざわ
ざわ
あ、
す…すみません
あはは
?
?

Part3

01

安全性が高い「債券型投資信託」

そもそも債券とは

投資信託はいろいろなものを組み合わせて投資します。その代表的な投資先の1つに、債券があります。

債券とは、いわば「借金の証文」です。例えば「2028年に1万円返します」という証文が債券ということになります。

この借りる側が国の場合が「国債」です。国が「2028年に1万円返します」という債券（=国債）を発行し、それを購入することが、国債を買うという行為です。

地方自治体が発行する債券を「地方債」、企業が発行する債券を「社債」といいます。

「1万円返す」という債券を購入する額は、当然1万円よりも安い価格になりますが、どのくらい安いかは、期間や債券を発行する側の信用、経済情勢などにより変わります。日本という国が返せないということはまずないでしょうから、日本の国債は安全性が高く、1万円に近い価格で売買されています。

債券型投資信託ならリスクは低め

国債や社債などの**債券を中心に投資するのが「債券型投資信託」**です。安全性が高く、リスクの低いものの代表とされ、**安定志向の人におすすめ**です。もっとも、**リスクが低い分、リターンも低く**なります。海外の債券に投資する投資信託は少し高いリターンが期待できますが、リスクも高くなります。

債券のしくみと種類

債券とは　「2028年に1万円返しますので、○○円（1万円以下の額）を貸してください」という証文

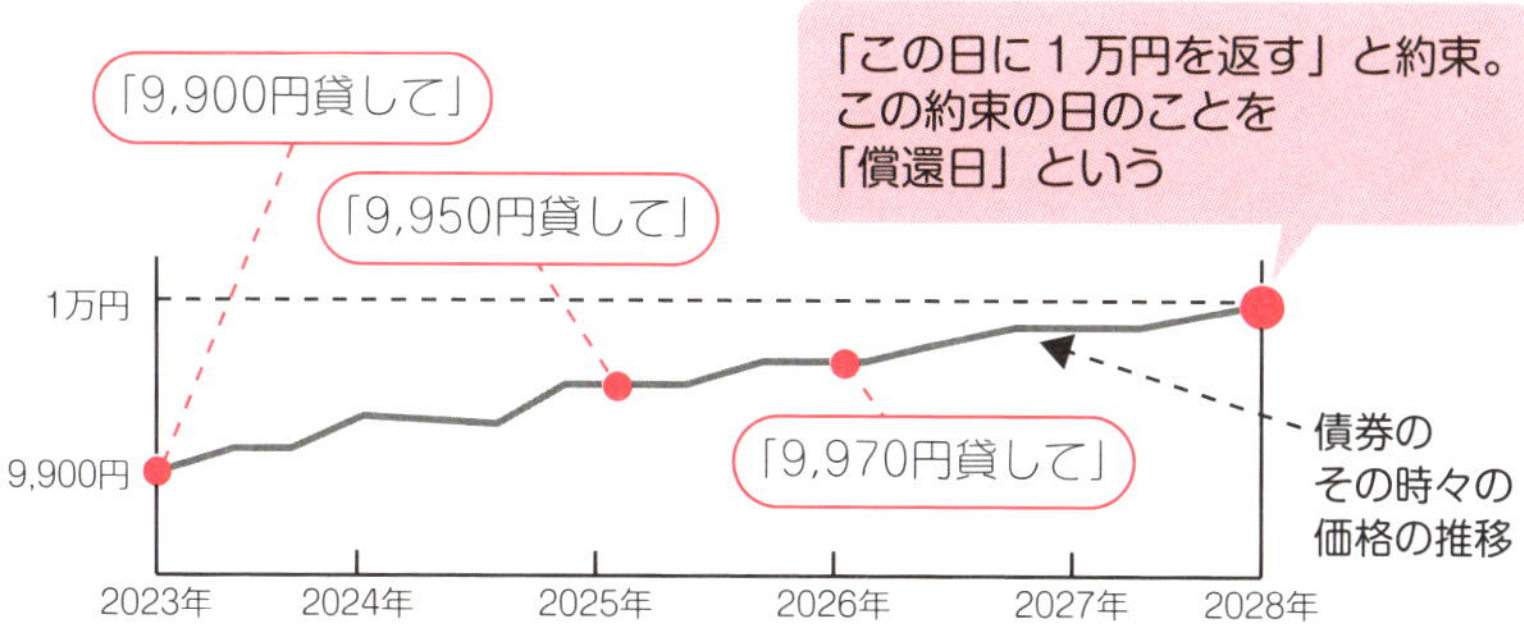

債券の種類

国　債	国が「○○年に○○円返す」と約束して発行する債券
地方債	都道府県や市町村などの地方自治体が返済を約束して発行する債券
社　債	企業が返済を約束して発行する債券
外国の国債	各国が、それぞれの国の通貨で発行する国債
外国の社債	外国の企業が発行する債券。米ドル、ユーロなどで購入・決済される

債券型投資信託の例

- 日本の国債
- 国内企業の社債
- 国内の地方債
- 外国の国債
- 外国企業の社債

など

Part3

02

高リターンをねらう「株式型投資信託」

そもそも株式とは

「株」とは、企業に出資したことを証明する証書です。企業が事業を大きくするには、資金が必要になります。その資金を出資金といい、**出資してくれたことを証明するものが「株（株式）」**です。

前項で紹介した社債は、ある企業の借金の証文ですから、返済する日（償還日）が来たら、借金を返さなければなりません。

一方、株は出資ですから、返済する必要はありません。出資してもらった代わりに、儲かったときに「配当金」として、儲けの一部を出資してくれた株主に還元します。

株式投資は、配当金の受け取りもリターンの1つですが、メインは株の価格（株価）が安いときに買って、高いときに売り、その差額で儲けることが基本です。

株への投資で高リターンを期待

投資信託の**投資先に株を組み込むタイプを「株式型投資信託」**といいます。

株価はときに大きく変動することがあり、値上がり幅が大きければ投資信託も高いリターンが得られる一方で、株価が下がった場合は損をするリスクがあります。とくに海外の株式に投資する投資信託はハイリスク・ハイリターンのものが多いです。

株式型投資信託は、**高いリターンを期待する積極志向の人におすすめ**です。

株式型投資信託とは

国内の株式型投資信託の例

国内A社株　国内B社株
国内C社株　日本の国債　外国の国債
など

株を中心に
いろいろな投資先を
組み合わせたのが
株式型投資信託なのよ

債券型投資信託と株式型投資信託を比べてみよう

	債券型投資信託	株式型投資信託
投資対象	債券を中心に投資 株は投資対象にしない	株も投資対象にする
特長	投資対象の債券は、利率や償還期限が決まっているため、比較的リスクが低いとされる	投資対象の株は、大幅な値上がりがあるため、高いリターンが期待できるとされる
デメリット	予想以上の高いリターンは期待できない	株価の値下がりによる高リスクは避けられない
リスク・リターン	ローリスク・ローリターン （国内債券中心の場合）	ミドルリスク・ミドルリターン 〜ハイリスク・ハイリターン

↓ **安定志向**の人におすすめ

↓ **積極志向**の人におすすめ

Part3

03

不動産に投資する「REIT」

賃貸料や売却益を分配

投資信託の投資対象は、株や債券のほかにもいろいろありますが、**不動産に投資するのが「不動産投資信託（REIT《リート》）」**です。

REITは不動産に投資して、そこから上がった賃貸料や売却益などを投資家に分配します。個人で不動産投資をしようとすると、少なくとも数百万円はかかりますし、リスクを抑えるために分散投資するとなると、資金はもっと必要になります。その点、REITなら手軽に不動産投資ができるのです。

売買が容易にできるタイプもある

REITにもいろいろなタイプがありますが、一般的なのは、**投資家がいつでも売買できるようにした「上場※不動産投資信託」**です。

このタイプは、株と同じように売買ができることから、現金化しやすいのが特徴です。その割に、不動産の賃貸料などを原資とするため、分配金も安定しています。

Check!

利益はほとんど分配される

REITは、利益の90%以上を投資家に還元すると、実質的に法人税が免除されます。そのため利益のほとんどを投資家に分配するのが一般的で、利回りは高めになります。

用語解説

※**上場**：株やREITなどを東京証券取引所のような市場で売買できるようにすること。上場することによって、一般の人が誰でも手軽に売買できるようになる。

REIT（不動産投資信託）のしくみ

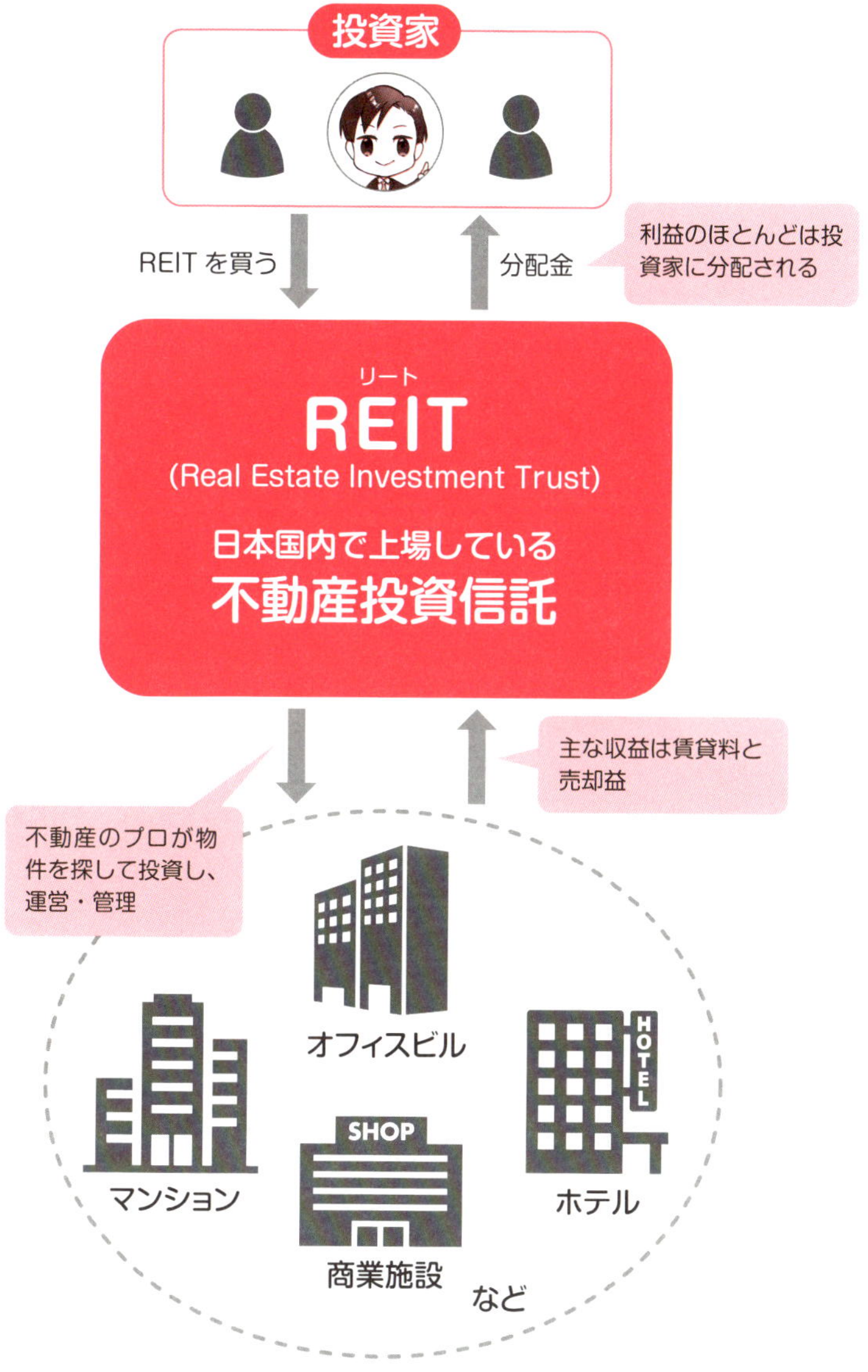

Part3

04

投資の上級者向けの「コモディティ（商品）」投資

コモディティ（商品）とは

投資の世界では、原油や天然ガスといった「エネルギー」、金やプラチナといった「貴金属」、トウモロコシや小麦といった「穀物」なども投資の対象とされています。これら**エネルギー、貴金属、穀物などを「コモディティ（商品）」**といいます。

「コモディティ」は、「先物取引」という形態で投資が行われています。先物取引とは、例えば「20XX年の3月末に、大豆100キログラムを○○円で取引する」という約束をする取引です。将来、その年の大豆が豊作で取引価格を下回っても、不作で高値になっても、事前に決められた○○円という価格で取引しなければなりません。その取引を行う当事者になるための権利を、先物取引というしくみを使って売買しているのです。

投資の上級者向け

先物取引されるコモディティは、専門知識がなければ、なかなか適切な投資はできません。投資信託を利用すれば、専門知識が必要なコモディティに対しても、投資のプロであるファンドマネージャーによって投資の判断がされるため、個人でも投資先として活用することができます。

コモディティへの投資は予想が当たれば大きなリターンが得られますが、予想が外れると損失も大きくなるのが特徴です。

コモディティ（商品）投資もプロに任せる

コモディティ（商品）の種類

エネルギー

原油、天然ガス、
ガソリンなど

貴金属

金、銀、
パラジウムなど

穀物

大豆、小豆、米、小麦、
トウモロコシなど

その他

アルミニウム、
ゴムなど

コモディティ（商品）への投資の判断（大豆の場合）

日本は
豊作か・不作か？

日本の
大豆のニーズは
増えているか？

世界的な
大豆の需要は？

米国は
豊作か・不作か？

南米諸国は
豊作か・不作か？

専門の知識が必要な
コモディティへの投資は、
プロに任せるべきね

Part3

05

効果的な分散投資をする「バランス型」

複数の資産にバランスよく投資

いろいろな投資先に**バランスよく投資する投資信託**を**「バランス型投資信託」**といいます。

例えば、国内株式、国内債券、海外株式、海外債券にバランスよく投資するものを「4資産バランス型」といいます。

さらに、海外株式と海外債券を、それぞれ先進国、新興国に分け、国内REIT《リート》と先進国REITを加えると「8資産バランス型」になります。

各資産の組入れ比率がポイントに

バランス型投資信託の目的は、**分散投資の効果をより高めて、リスクを抑えた投資にする**ことです。

一般的には、分散させている資産の数が多いほど、リスクが抑えられます。もし、1社だけに投資して、その企業が不祥事を起こしたとしたら、その株価は大きく下げ、資産価値も大きく損なわれます。

分散投資をしていれば、このようなときでも、価値が下がるのは、問題を起こした企業の株だけで済み、全体への影響は小さくなります。

また、債券はリスクが低いという特徴があります（92ページ参照）。そのため、株式を組み入れる割合（組入れ比率）が低いほど、リスクが抑えられます。

バランス型投資信託の例

4資産バランス型の例

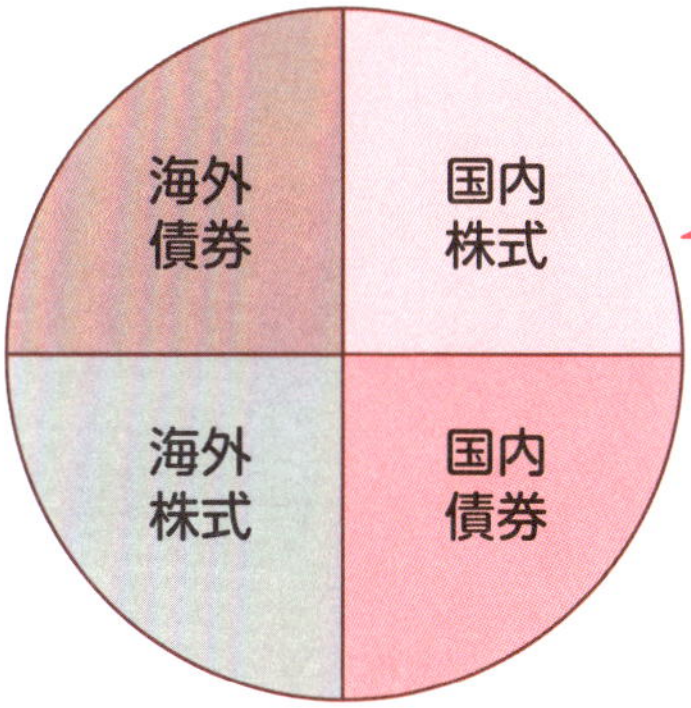

4つの資産に均等に投資するのがバランスがよいとは限らない

8資産バランス型の例

実際には投資資産のバランスをとる（リバランス※）ために各資産の組入れ比率が変わってくる

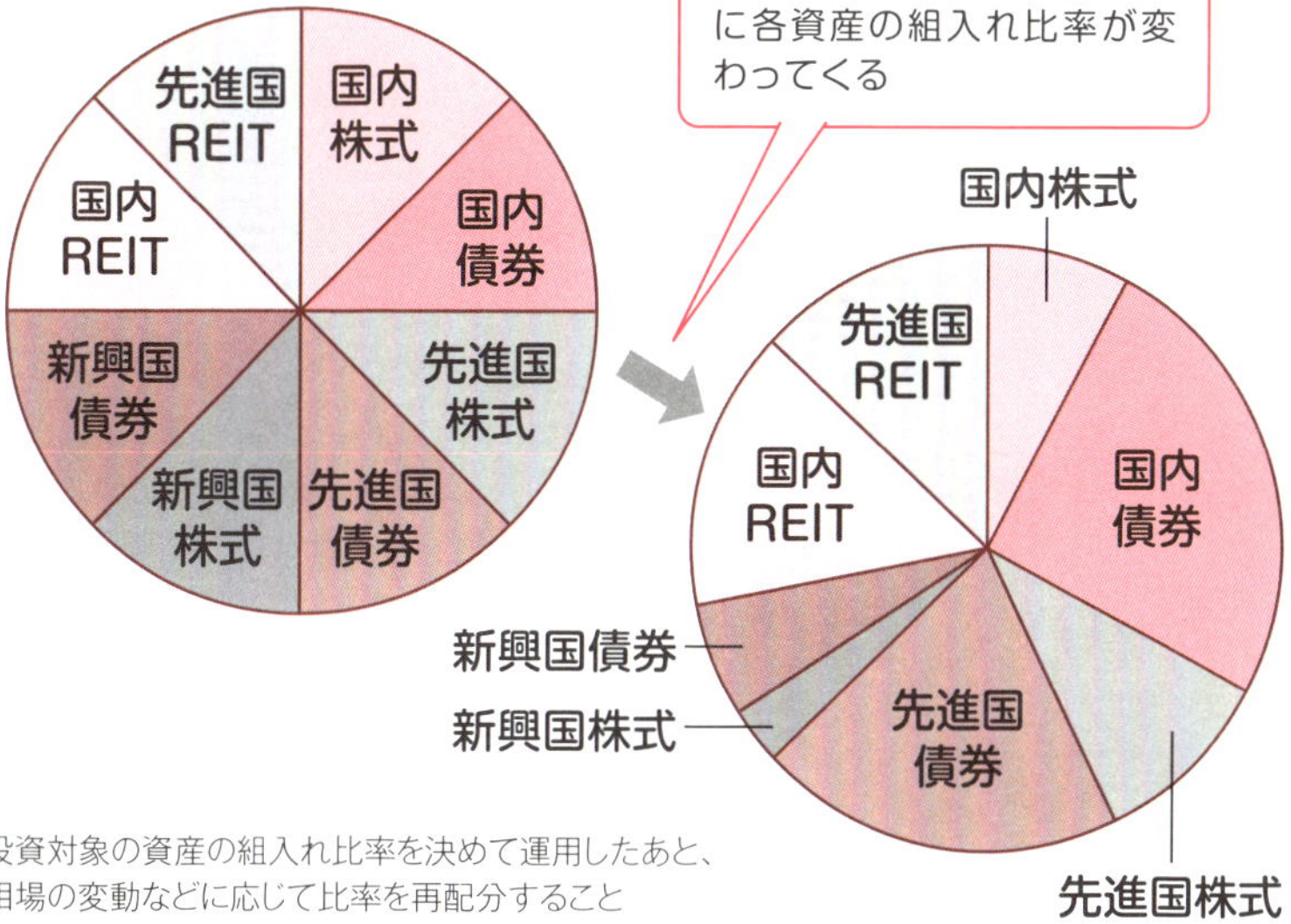

※投資対象の資産の組入れ比率を決めて運用したあと、相場の変動などに応じて比率を再配分すること

Part3

06

安定的に利益をめざす「インデックス型」

リスクを抑えて安定的に運用

株を中心に投資する株式投資信託には、大きく分けて**「インデックス型」**と**「アクティブ型」**があります。

このうちインデックス型の「インデックス」とは、指数のことで、物価や株価など、ある時点の数値を基準として、その後の変動をわかりやすく表すものです。

インデックス型投資信託の指数には、日経平均株価や東証株価指数、ダウ平均株価などがあります。**インデックス型は、これらのうちの対象となる指数の値動きに連動するように運用する**ことをめざします。

例えば、ある指数が2％上がったら、投資信託も2％近く値上がりするように運用します。そのためインデックス型では、その指数に含まれる企業の株を幅広く購入します。ときには、その市場全体に分散投資することもあります。

それにより、インデックス型はリスクを抑えながら、安定的に資産を増やしていくことが可能になります。

Check!

インデックス型はわかりやすく、安い

投資の初心者にも値動きがわかりやすいのがインデックス型のメリットです。運用会社も指数に合わせて売買をすればよく、独自の市場調査や特別のノウハウを必要としないため、全般的に運用コストは「アクティブ型」よりも安くなります。

インデックス型は指数に連動する

指数とは

物価や株価など、ある時点の数値を基準として変動をわかりやすく表すもの

※例えば、東証株価指数は1968年1月4日の株価を100として、現在に至るまでの変動を表す

主な指数

日経平均株価（日経225）	東京証券取引所第一部の代表的な225銘柄を選び、株価の平均を計算した指数。取引所の取引時間中、5秒ごとに計算・発表される
東証株価指数（TOPIX）	東京証券取引所第一部のすべての上場銘柄の時価の合計を計算した指数。取引所の取引時間中、1秒ごとに計算・発表される
ダウ平均株価	ダウ平均株価にはいくつか種類があり、例えばダウ工業株30種平均はアメリカを代表する30の優良銘柄の平均株価を計算する

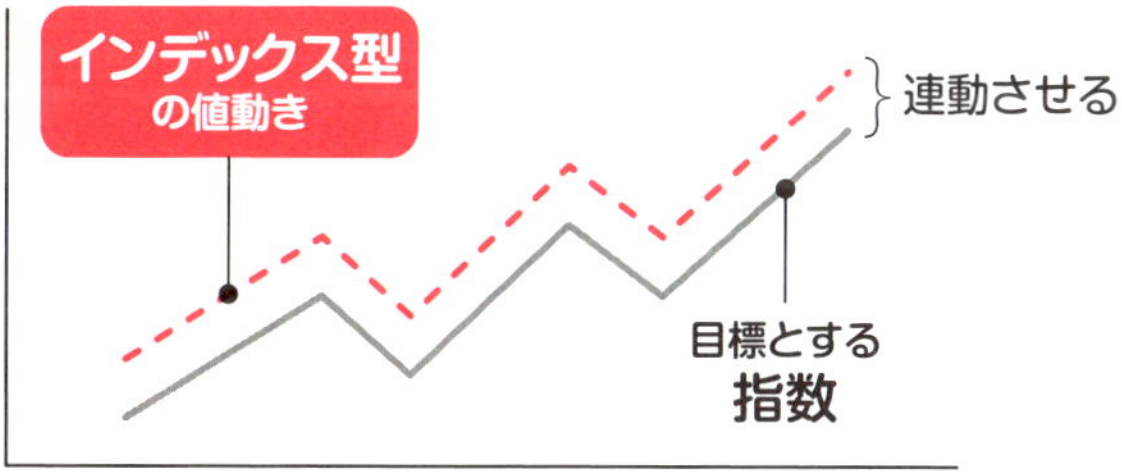

特徴

投資信託の値動きが対象となる指数に連動するように運用

指数の対象先に幅広く投資するので**リスクが分散する**

市場調査など特別なことをしないので**運用コストが安い**

投資信託の値動きが指数に連動するので**わかりやすい**

Part3

07

積極的に利益をねらう「アクティブ型」

ハイリターンをねらう

安定した運用をめざす、リスクを抑えたインデックス型に対して、**より積極的な運用を行うのがアクティブ型**です。アクティブ型は、対象となる指数を、できるだけ大きく上回ることをねらいます。

それを可能にするのは、ファンドマネージャー（運用責任者）による投資先選びです。値上がりすると見込んだ投資先を選んで、集中的に投資します。株や社債など、取引される有価証券のことを「銘柄《めいがら》」といいますが、値上がりが見込まれる株の銘柄を見つけるには、当然、個別の調査などが必要になるため、投資信託の運用コストは高めになります。

ただし、必ずしもねらった成果が上がるとは限りません。その点ではインデックス型よりもハイリスク・ハイリターンといえます。

銘柄を選ぶ方法はいろいろ

アクティブ型で銘柄を選ぶ方法には、これから**成長していきそうな「グロース株（成長株）」**を中心に投資するものや、**業績や保有している資産から見ると割安である「バリュー株（割安株）」**を中心に投資する投資信託もあります。

海外の企業の株（海外銘柄）を積極的に組み込む投資信託や、環境問題への取り組みに積極的な企業の銘柄（環境銘柄）を中心に投資する投資信託もあります。

アクティブ型は指数を上回ることをめざす

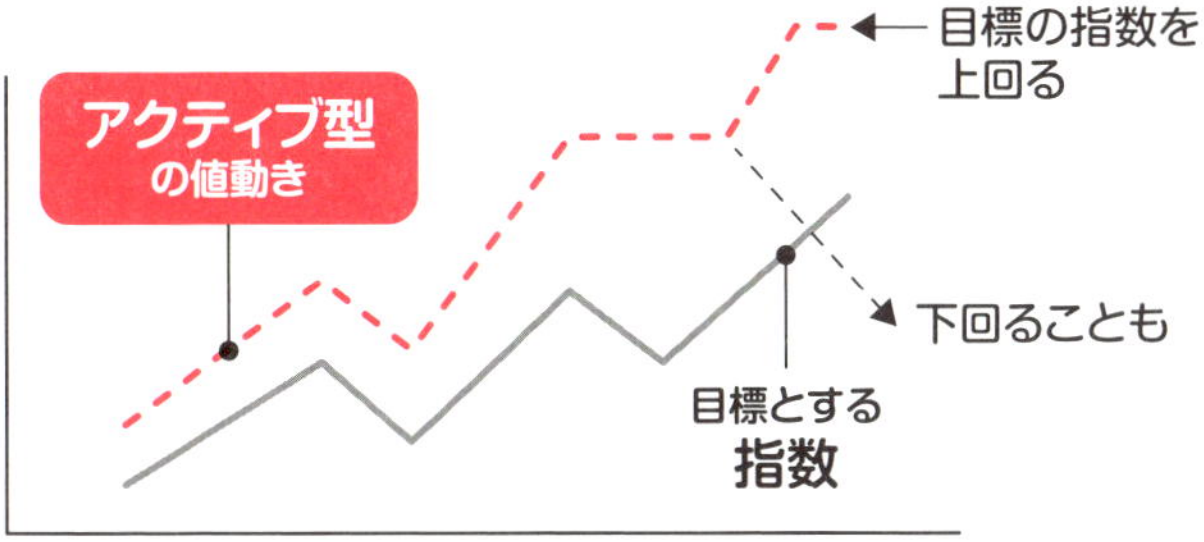

特徴 **投資信託の値動きが指数を上回る**ように運用

値上がりしそうな銘柄を選んで投資するので、
大きく儲かることもある

必ず上回るとは限らないので、**ハイリスク・ハイリターン**

市場調査や細かい運用などが必要になるので、
運用コストが高い

アクティブ型の投資信託の例

グロース株（成長株）	個別の企業を調査・分析して、今後成長（グロース）しそうな銘柄を選び投資する
バリュー株（割安株）	個別の企業を調査・分析して、業績や資産に対して株価が割安（バリュー）な銘柄を選び、投資する
海外銘柄	今後業績が上がりそうな海外の企業の株（銘柄）を積極的に組み込んで、より広く投資先を分散させながら、より高い利益もねらう
環境銘柄	地球温暖化などの環境問題に積極的に取り組んでいる企業（銘柄）を中心に投資する

Part3

08

株のように売買できる「上場投資信託（ETF）」

値段は常に変動する

投資信託の1つに、株に近い感覚で短期の売買で利益を上げられる**「上場投資信託（ETF《イーティーエフ》）」**があります。ETFは、インデックス型のように、日経平均株価などの指数に連動して運用される投資信託です。

普通の投資信託の値段（基準価額）が1日1回計算されるのに対して、**ETFの値段は証券取引所で売買されている間、リアルタイムで常に変動**します（市場価格、取引価格）。そして東京証券取引所などの株式市場で売買されていて、株のように取引できます。

投資信託は通常、売り買いの時点で値段はわかりませんが（42ページ参照）、ETFはリアルタイムで値段がわかり、値段を指定した売買注文**（指値《さしね》注文※）**なども可能です。

また、投資信託はもっている間に運用の手数料（信託報酬）がかかりますが、株はかかりません。ETFはその中間で、**信託報酬は一般の投資信託と比べてかなり安く**なっています。

さらに、売買するときの手数料も、ETFは投資信託と比べて安く設定されています。

Check!

ETFには最低売買単位がある

国内で上場してる株は、最低100株という売買単位があります。ETFにも同じように売買単位があるため、最初の投資額が数万～数十万円になることがあります。

用語解説

※**指値注文**：株式などの売買注文で、値段を○○円と指定して注文する方法。いくらでもいいから売買したいという注文は「成行（なりゆき）注文」という。

一般の投資信託と上場投資信託（ETF）の違い

一般の投資信託	上場投資信託（ETF：Exchange Traded Fund）
値段（基準価額）は**1日1回、取引終了後に計算**される	値段（市場価格、取引価格）は取引所で売買されている間、**リアルタイムで常に変動**する
売買時点で**値段はわからない**	リアルタイムで**値段がわかり**、売買は指値注文もできる
もっている間に運用の**手数料（信託報酬）がかかる**	運用の手数料（信託報酬）は一般の投資信託と比べて**かなり安い**
売買するときの**手数料が割高**	売買するときの**手数料がかなり安い**
最初の投資額は**100円から**でも始められる（ネット証券での積立て投資の場合）	最初の投資額は**数万～数十万円**になる

こうして見ると
ETFの特徴は株とよく似ているわ

Part3

09

投資信託の購入と解約のタイミング

約9割がオープン型

投資信託には、いつでも売り買いできるものと、決まった期間しか買えないものがあります。

いつでも売り買いできるものは「オープン型（追加型）」といい、投資信託の名前は通常「○○オープン」となっています。

現在買うことができる投資信託の9割程度は、このオープン型です。

投資信託の運用開始から終了までを「信託期間」といいますが、**オープン型の信託期間は5年以上**と長く、無期限のものもあります。

この期間中は、購入も売却（解約）も自由にできます。

ただし、運用の好不調によって、信託期間前に終了したり、逆に延長したりすることもあります。

ユニット型はクローズド期間に注意

一方、**決まった期間しか買えないものは「ユニット型（単位型）」**といいます。ユニット型は、信託期間のはじめに募集期間が決められていて、その期間内しか買えません。また一定期間、売却（解約）もできない「クローズド期間」を設けているものもあります。

ユニット型の信託期間は、2年から5年程度で延長はありません。募集をそのつど、適当な時期に行うものと、毎月などと決めて定期的に募集するものがあります。

オープン型とユニット型を比べてみよう

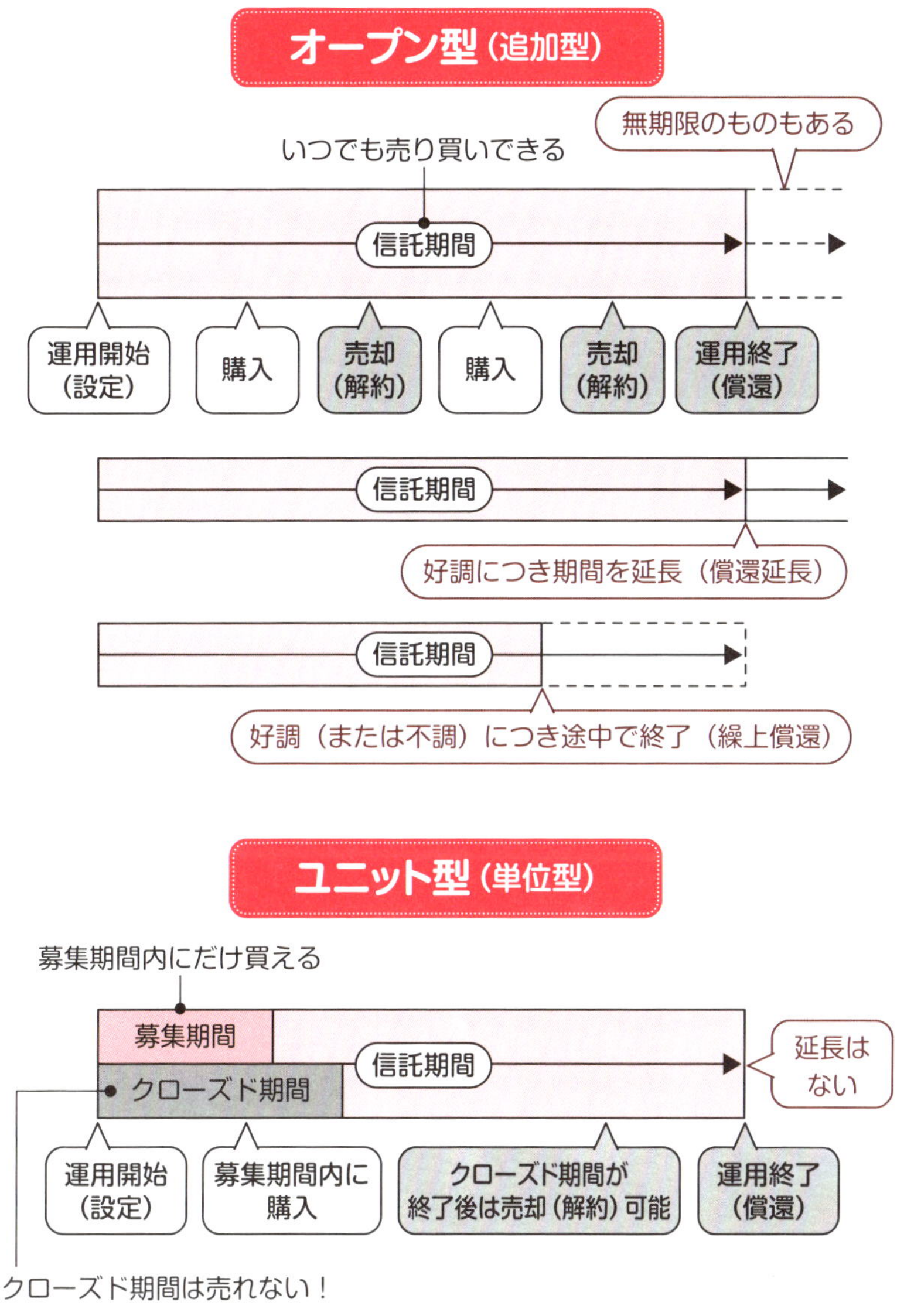

購入時手数料がかからない投資信託もある

購入時手数料なしで買えるが……

投資信託を選ぶときに、無視できないのが手数料です。プロが運用したり、その運用内容を管理したりするには、人の手が必要ですから、手数料がかかるのは避けられません。

しかし、手数料は可能な限り抑えたいものです。投資信託の手数料の1つに購入時手数料があり、これを「ロード」といいます。通常、数%かかるこの**購入時手数料（ロード）がかからない「ノーロード型」**という投資信託があります。

最初に手数料がかからないのは魅力ですから、人気があります。ただし、ノーロード型の中には、購入時手数料がかからない代わりに、**運用の手数料（信託報酬）が割高なもの**もあります。

例えば、ノーロードでも信託報酬が2%だと、10年間では計20%のコストになります。

それに対して、購入時手数料が5%かかったとしても、信託報酬が1%なら10年間で計15%のコストで済みます。

コストは購入時にかかる手数料だけでなく、トータルに見ることが大切です。

Check!

大切なのはコストの安さだけではない

ノーロード型は確かにお得ですが、あくまでも投資信託を選ぶ際の基準の1つにすぎません。投資信託を選ぶときは、商品の特徴や魅力、分配金の有無なども合わせて考えましょう。

一般の投資信託とノーロード型の比較

一般の投資信託

金額指定で買うときに、指定した金額が「購入時手数料込みの金額」の場合

ノーロード型

購入時手数料なし！

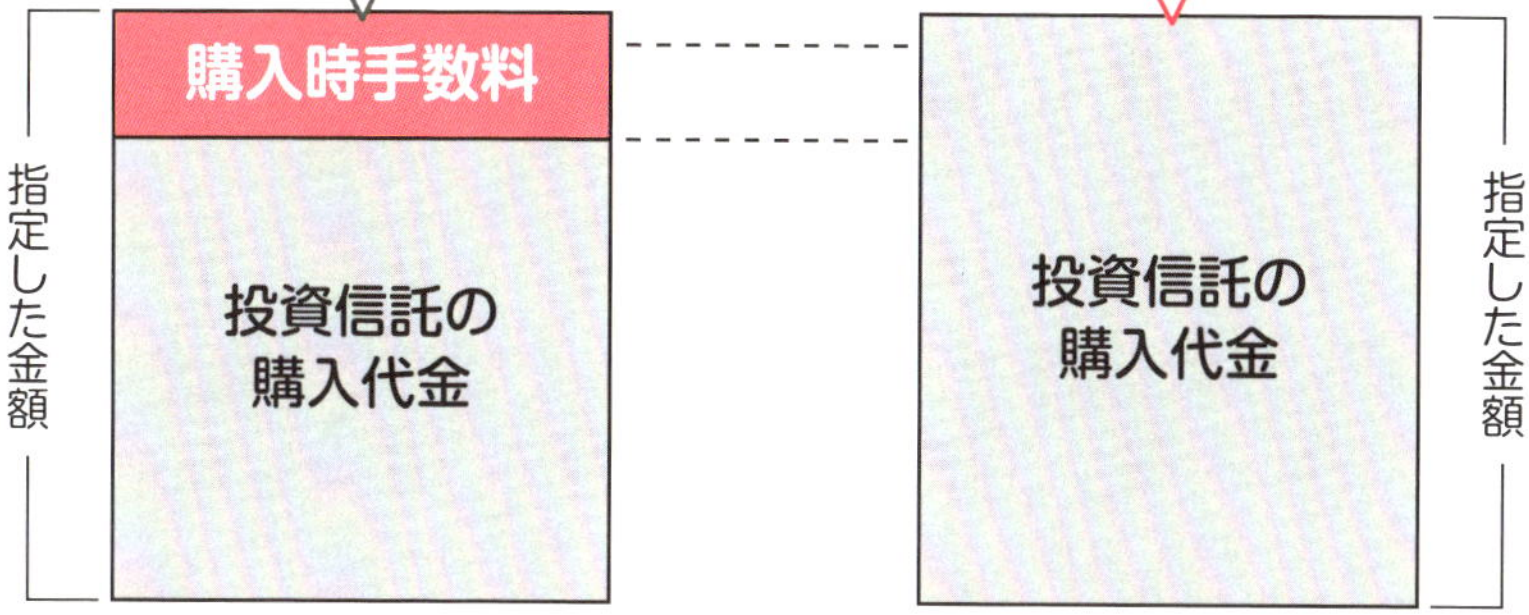

指定した金額の全額が投資信託の購入代金にあてられるのではない！

指定した金額の全額が投資信託の購入代金にあてられる！

注意

《口数指定で買うとき》

➡口数に応じた投資信託の購入金額と、その購入金額に応じた購入時手数料の合計が、支払い金額となる。

《金額指定で買うとき》

①「購入時手数料込み」の場合

➡指定した金額の中から購入時手数料が払われるため、投資信託の購入金額は指定した金額以下になってしまう。

②「購入時手数料別」の場合

➡指定した金額は全額、投資信託の購入金額となるが、それとは別に購入金額に応じた購入時手数料が発生するため、２つを合わせた額が支払い金額となる

（注）金額指定する金額が、「購入時手数料込み」か「購入時手数料別」かは、販売会社によっても異なる。

コラム

投資信託に投資する？

投資信託の種類には「投資信託に投資する」ものがあります。その代表が**「ファンド・オブ・ファンズ（方式）」**といわれるものです。

一般的な投資信託は、ファンドマネージャーが投資先を決めます。例えば、「A株に25%、M株に25%、P株に30%、Z株に20%」や「A株に15%、B株に25%、債券Sに30%、債券Xに20%」といった感じです。

「ファンド・オブ・ファンズ（方式）」とは、この投資先に株や債券などの直接的な投資先だけでなく、投資信託を加えます。

例えば、「A株に25%、M株に25%、投資信託1に25%、投資信託2に25%」や、「投資信託1に30%、投資信託2に40%、投資信託3に30%」のような形です。

このタイプでは、投資対象となる投資信託のほうでも手数料（信託報酬）が発生するため**コストは高くなります**が、より高度な分散投資ができます。

そもそも投資信託は、いろいろな投資先に投資していますから、投資先は分散されています。投資信託に投資するということは、一般的な投資信託よりも、何倍も分散投資されることになります。その結果、**より強力なリスク分散ができる**というメリットがあります。

Part

4

売り買いはスマホでOK

誠也さん！すいません遅くなっちゃって
僕も今ついたところです
今日ちょっと雰囲気違いますね その服よく似合ってます
！
あ ありがとうございます…
それじゃ行きましょうか
はい！

……
しん…
まずいっ！沈黙……！
何か話題を…
ええと…
そっ…
そういえば…
あら？
どうしたんですか？お２人そろって
あ
濱田さん!?

Restaurant & cafe
なるほど投資信託の勉強のためにお2人で…
MENU
しまった〜…思わず声かけちゃったけど
すっごくお邪魔虫だったんじゃ…
じゃ せっかくですし投資信託のお話しましょう！
いいんですか？お仕事じゃないのに…
いえいえ せめてもの罪滅ぼしということで…
ごにょ
ごにょ
？
じつはそろそろ投資信託の口座を開設しようと思っているんです
そうなんですか
口座はやっぱりネットで開設するんですか？

そうですね 口座開設には マイナンバーや 運転免許証のコピーが 必要ですけど
郵送だと2週間ほど かかるそうなので ネットで 手続きしようと 思っています
スマホの カメラを使えば 簡単にできちゃい ますしね！
ネットの設定なども スタータキットとして 口座開設のお知らせに 入ってるそうですし
1人でもちゃんと 申請できるんじゃ ないかなと思います
金融機関のホームページにある 口座開設用のページから必要な情報を入力
名前
住所
送信
カチッ
申込みに必要な書類が郵送で届くので 必要な情報を記入し、必要書類を同封して返送
カシャ
口座開設のお知らせが届く！
やったー！
2人とも ちゃんと 勉強してる…
私 出番なくなっ ちゃうかも…
うんうん

—それでは
スポットと積立て
どちらで
買うんですか？
え？
アセ
アセ
スポット？
積立て？
何ソレ…
オロ
オロ
よかった
まだ
大丈夫だ
ほっ
そうですね
銀行の定期預金が
あるんですけど…
え!?
定期預金？
預けていても
利息は低いので
解約して
投資信託の
資金に
しようと？
はい
なので
スポットでまとめて
買おうと思ってます
なるほど

ただ その買い方だと あまり株と変わらないので はじめのうちは 商品や買いどきの 見極めが難しいかも
おまたせいたしました
そう なんですか…
すいません…
私は まだ買い方まで 勉強してなくて…
それに そこまで まとまったお金が あるわけじゃ…
ごめんなさい 説明して いなかったわね

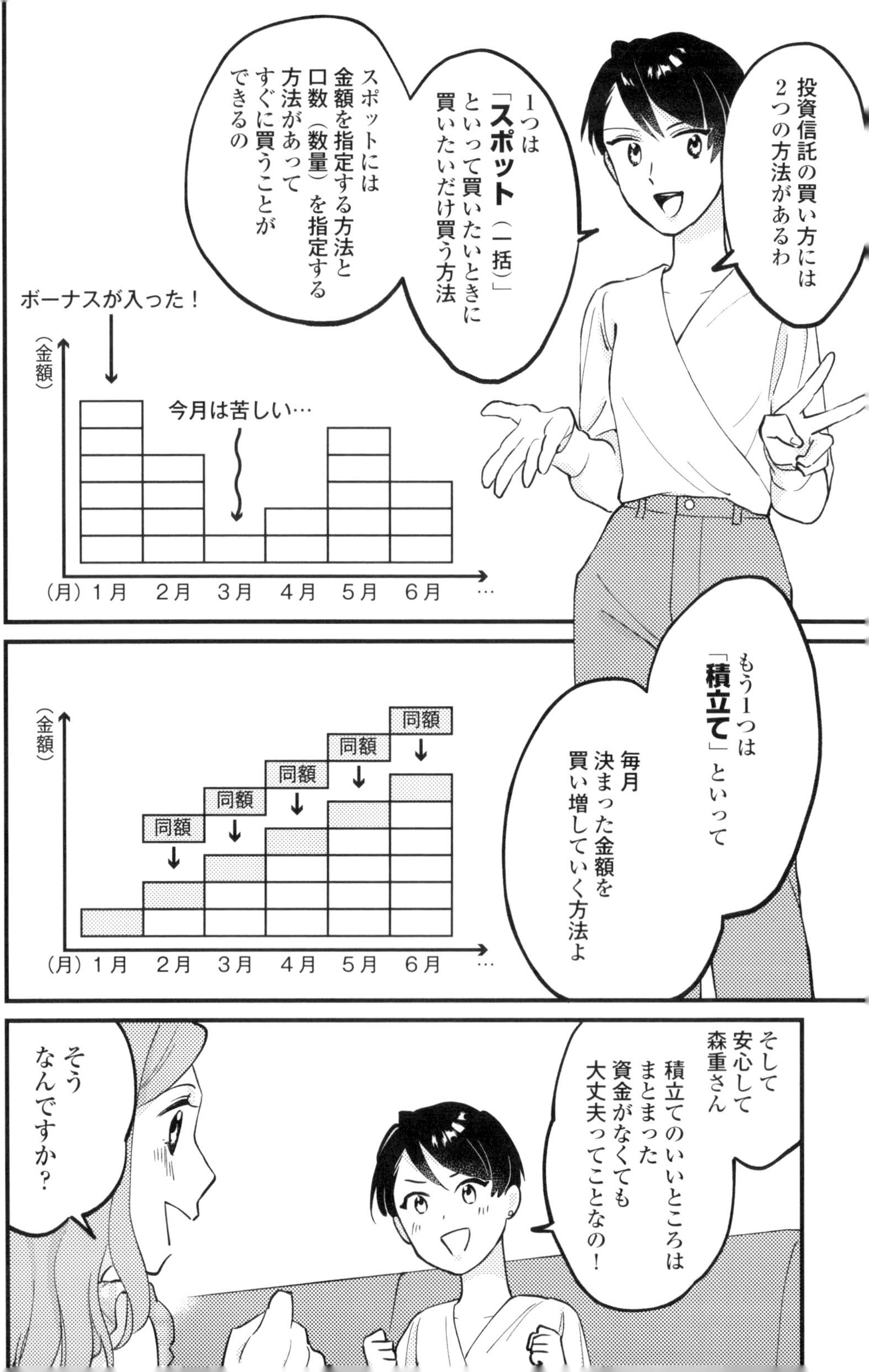

投資信託の買い方には2つの方法があるわ
1つは「スポット（一括）」といって買いたいときに買いたいだけ買う方法
スポットには金額を指定する方法と口数（数量）を指定する方法があってすぐに買うことができるの
ボーナスが入った！
（金額）
今月は苦しい…
（月）1月 2月 3月 4月 5月 6月 …
もう1つは「積立て」といって毎月決まった金額を買い増していく方法よ
（金額）
同額
同額
同額
同額
同額
（月）1月 2月 3月 4月 5月 6月 …
そして安心して森重さん積立てのいいところはまとまった資金がなくても大丈夫ってことなの！
そうなんですか？

少ない金額でも購入できるし
短期間での値段の上げ下げを気にする必要もないわ
へーっ
スポットの場合金額のほかに口数を指定して買えますけどどちらがいいんですか？
口数指定だと購入予定額をオーバーしたり
分配金を再投資できないといったデメリットもあるからねえ…
積立てもスポットも基本は金額指定ってことですね

濱田さんと誠也さん…なんだか盛り上がってたな
…すがすがしいほどにくやしいわ!
ふっ
あの…
はは はい!?
じつは…俺の事名前で呼ぶ人って初めてで
はっ
え?
あっ LINEの名前が「誠也」だからいつの間にか…
ご ごめんなさい
いや 違うんです
むしろ そのほうがしっくりくるくらいで…

だから俺も
森重さんの事
名前で…
祥子!!
ちょっと
待ちなさい!!
!!??
え…
お
お父さん!?

Part4

01

窓口、電話、ネット…買う方法はいろいろ

最近の主流はネット利用

投資信託は、証券会社、銀行、郵便局（ゆうちょ銀行）などの販売会社（金融機関）で買えますが、買う方法はいろいろあります。

1つは、**金融機関の窓口で買う方法**です。窓口に出向く面倒はありますが、目の前で担当者が詳しく説明してくれますし、質問や相談もできます。

出かけるのが面倒というのなら、**電話窓口を利用する方法**もあります。声だけの説明や相談になりますが、会社によっては専門のコールセンターを設けて、スムーズに対応しています。

そして最近、主流になっているのが、**ネットを利用する方法**です。出かける手間がはぶけるうえ、24時間利用できて、手数料も割安か無料になります。相談を受け付けるコールセンターを設けていたり、パソコンやスマホからオンラインで相談できるネット証券などもありますが、基本的には自分自身でよく調べて判断する必要があります。左図を参考にして自分に合った買う方法を選びましょう。

Check!

ネット取引は一般の銀行でも可

ネットで投資信託が買えるのは、いわゆるネット証券だけではありません。一般の銀行などでも受け付けるところが増えています。なかには、ネット専用の投資信託があったり、ネットバンキングを利用できるところもあります。

あなたにピッタリの買う方法は？

いま、使っている金融機関で買いたい?

- **Yes**：窓口なら、預金の引出しや預入れのついでに投資信託が買えて便利！ → 金融機関の窓口
- **No**：とくになじみの金融機関でなくてもよい ↓

選ぶ手間や時間よりもコストが割安なほうがいい?

- **Yes**：コストが安いほうがいい! → ネット
- **No**：専門家に相談して商品を選びたい！ ↓

充分に納得いくまで相談したい?

- **Yes**：時間と手間はいくらかけてもいい → 金融機関の窓口
- **No**：だいたいわかればあとは時間を有効に使いたい → 電話

金融機関の窓口

営業時間中なら、担当者から直接説明を受けたり、相談しながら買える

電話

来店不要で、受付時間中なら、金融機関の窓口ほどではないが、説明や相談はある程度できる

ネット

24時間対応で手数料も割安。基本的には自分でよく調べて判断する必要がある

02 ネット利用の長所と短所は？

ネット利用はメリット大

投資信託を買う方法はいろいろありますが、**おすすめはネットを利用する方法**です。

ネットだけで取引をするネット証券やネット銀行のほか、一般の銀行のネット専用の投資信託などがあります。

ネットを利用すれば、販売窓口まで出向く手間や時間、コストがはぶけます。また、24時間取引ができることや、手数料が安いこと、扱っている投資信託の種類が多いことなど、メリットはたくさんあります。

サポート機能が充実

ただ、ネットを利用する場合は、専用コールセンターなどを設置している一部の金融機関を除いて、基本的には**自分自身で調べて、投資信託を選ばなければなりません**。

その代わり、たいていの場合は、サイト内に投資信託に関する基本的な知識をまとめた記事や、買付け件数、値上がり率などの各種ランキング、検索機能など、投資信託選びをサポートするツールが備えられているので、初心者でも調べやすい環境が整っています。

ふだん仕事や家事に忙しい人で、パソコンやスマホ、タブレットなどでネットをある程度使いこなせている人なら、左図のような点に留意してネット利用を考えてみましょう。

売り買いにはネットを使うと便利！

ネット利用のメリットは？

☑時間、手間、コストがはぶける

➡窓口まで出向くと、説明を聞くのに時間や手間がかかり、交通費など出費もあるが、それがはぶける

☑24時間、売り買いができる

➡通常、24時間・365日、自分の都合のよいときに売り買いできる

☑購入時手数料などが安い

➡ネットは実店舗よりもコストがかからないため、購入時手数料が安く抑えられている

☑扱う投資信託の種類が多い

➡窓口よりも扱っている種類が豊富

ネット証券・銀行を選ぶポイントは？

☑自分が使っているパソコンやスマホで操作しやすいこと

☑自分に合った記事やツールが充実していること

☑扱っている投資信託の種類が多いこと

☑自分に合った投資額で売り買いできること

Part4

03

金融機関に専用口座を開設する

口座開設までの流れは

どこで、どうやって買うかを決めたら、まずその金融機関に、**投資信託を売り買いするための専用口座を設けます**。

ここではネットを利用した場合の一般的な手続きの流れを紹介しましょう（左図参照）。

はじめに、金融機関のホームページの口座開設用のページで、名前や住所などを入力して、送信します。

その後、口座開設に必要な書類が郵送されてくるので、それに必要事項を記入します。

また、マイナンバーの確認書類や、本人確認書類（運転免許証のコピーなど）の提出なども求められるので、あらかじめ用意しておきましょう。

これらの書類の返送は、コピーした現物を送るほかに、画像を撮影して送信することで代えることもできます（130ページ参照）。

口座開設の仕方は金融機関ごとに異なりますが、指示どおりに行えば問題ありません。

郵送だと2週間程度かかる

手続きはこれで終わりです。あとは**口座開設のお知らせが届くのを待つ**だけです。

郵送の場合は2週間程度かかることがあります。

また、NISA《ニーサ》口座（78ページ参照）などでは税務署での審査があるため、さらに時間が必要です。

ネットを利用した口座開設までの流れ

Step1　ホームページで口座開設を申し込む

口座開設用のページで、名前や住所など必要な情報を入力して送信する

Step2　申込みに必要な書類が郵送で届く

書類には、ホームページで入力した情報があらかじめ印字されていることもある

必要書類などを画像で送信する場合は、このステップは省略可

Step3　必要な情報を記入し、必要書類を同封して返送

印字された情報と、新たに記入する情報は返送前に必ず確認する。必要書類は本人確認書類など。

必要書類を画像で送る場合はスマホで撮影してアップロードすればOKね!

Step4　口座開設のお知らせが届く

口座開設のお知らせにはスターターキットなどの形で売り買いを始めるために必要なインターネットの設定などの情報が入っています

スマホアプリでカンタンに口座開設できる

確認書類は画像を送信

金融機関によっては、**スマートフォンで口座開設がカンタンにできるアプリ**を用意していることもあります。

手続きは24時間自分の好きなときに、いつでも行えるうえ、操作のしやすさも魅力的です。

申込みの際は、**確認書類などのほとんどはスマホで撮影して画像を送信すればOK**です。郵送の手間がいりません。

申込みから口座開設まで**最短3～4日で完了**して、NISA《ニーサ》口座（134ページ参照）の開設も可能なところもあります。

また銀行は、すでに預金口座をもっていると投資信託専用口座の開設手続きが簡単にできるため、こうしたアプリを用意しているところが多いようです。

アプリを使って購入もできる

口座を開設したあとは、**アプリによってはそのまま投資信託の購入ができる**ものもあります。

購入可能な投資信託の種類は限られますが、最も簡単に投資信託を始められる方法の1つです。

いまやスマホ1つで、投資信託の口座開設から購入まで、手軽にできるようになっています。

口座開設はスマホが便利！

メリット

☑手続きは24時間ＯＫ
☑手続き書類の郵送は不要（ペーパーレス）
☑本人確認書類はスマホのカメラで撮影して送信すればＯＫ
☑口座開設は最短３～４日
☑投資信託口座とともに、NISAの口座開設が可能な場合も

●申込み手順

Step1 金融機関のホームページから専用アプリをダウンロードする

↓

Step2 アプリを起動し、投資信託の口座開設の案内に従って、必要な個人情報を入力する

↓

Step3 本人確認書類（運転免許証など）を撮影し、送信する

↓

申込み手続き完了!

↓

口座開設のお知らせが届く

Part4

05

「特定口座」の「源泉徴収あり」なら確定申告は必要なし

一般口座はメリットなし

投資信託を売り買いする口座には**「一般口座」と「特定口座」の2種類**があります。この違いは、税金の扱いです。

投資信託で利益を得た場合は、下欄の「Check!」にあるような一定のケースを除き、原則として**確定申告**※が必要です。

一般口座を選んだ場合は、申告時の添付書類として税務署に用意されている「譲渡所得等の金額の計算明細書」という書類を作成し、自分で確定申告をしなければなりません。

一方、特定口座を選んだ場合は、販売会社である金融機関のほうで1年分の損益の結果をまとめた「年間取引報告書」というものを作成してくれるので、それを申告時に添付すればOKです。

また、特定口座には**「源泉徴収あり」と「源泉徴収なし」の2タイプ**があり、「源泉徴収あり」を選べば、金融機関が利益から税金を天引きして、代わりに納税してくれます。つまり、**自分で確定申告する必要がありません。**

Check!

確定申告が不要なケースは

特定口座で「源泉徴収あり」を選んでいる場合以外で、原則、確定申告が不要なケースは、①NISA口座の場合、②給与などの年収が2000万円以下で、副収入が20万円以下の場合です。

用語解説

※**確定申告**：税額を確定して自分で申告する制度。所得税の申告は毎年2月16日頃から3月15日頃までに行う。

投資信託の口座の種類

投資信託の売り買いをする専用口座

一般口座

➡自分で1年間の損益の結果をまとめた書類を作成し、確定申告する

個人投資家が一般口座を開設するメリットはさほどありません

特定口座

個人投資家はこちらを選びましょう。申告に必要な書類は金融機関が作成してくれます

➡1年間の損益の結果をまとめた「年間取引報告書」を金融機関が作成してくれるので、それを使って確定申告する

源泉徴収※なし

➡自分で確定申告して納税する

利益が少ない、あるいは年間を通して損失が出てしまったなどの理由で、税金を払う必要がないのに、源泉徴収で税金を払ってしまい、損することがないようにしたいならこちらを選びます

源泉徴収あり

➡金融機関が利益から天引きして納税してくれるので、確定申告する必要はない

税金を払う必要があっても、なくても、税金のことはすべて金融機関に任せて、（損をすることがあっても）自分は何もしたくないならこちらを選びます

※源泉徴収：特定の所得について支払われる際に、支払う者が所得税額を計算して天引きをし、税務署に納付するしくみ。

Part4

06

NISAの利用には専用口座が必要

1つの口座で2つの枠が併用可能

2024年スタートの新しいNISAは年間合計で360万円、生涯最大で1800万円までの投資の利益が非課税なので、その範囲内なら税金の心配はありません。この制度を利用するには、一般口座または特定口座とは別に、**専用の「NISA口座」を開設**します。開設の仕方は一般口座などとほぼ同じですが、税務署での審査などが行われるため、多少時間がかかることがあります。

新しいNISAでは、1つの口座でつみたて投資枠と成長投資枠の2つの枠を併用することが可能です。

また、2023年までに一般NISA（旧）や、つみたてNISAの口座を開いている場合は、新しいNISAの口座が**同じ金融機関で自動的に開設**されます。積立ての設定なども引き継ぐことができます。ただし、購入した投資信託を新しいNISAに引き継ぐこと（ロールオーバー）はできません。

iDeCo口座なども併用できる

それ以外の口座も併用できるので、新しいNISA口座と一般の口座、さらにiDeCoの口座も同時に持つことができます。また、2023年までの一般NISA（旧）や、つみたてNISA、ジュニアNISAの口座は、新しいNISAとは**別枠で持ち続け、残りの期間を非課税で運用できます**。

NISA口座は他の口座と併用できる

新しいNISA

つみたて投資枠 ⇔ 併用できる ⇔ **成長投資枠**

つみたて投資枠
➡年間120万円、成長投資枠と合わせて生涯合計1,800万円までの投資で得られた利益が非課税になる

成長投資枠
➡年間240万円、非課税枠のうち生涯最大1,200万円までの投資で得られた利益が非課税になる

⇕ 併用できる

**一般NISA（旧）口座
つみたてNISA口座
ジュニアNISA口座**
➡それぞれの残りの非課税期間、投資で得られた利益が非課税になる。新しいNISAの非課税投資枠とは別枠で持つことができる。

iDeCo口座
➡投資したお金は全額、所得控除。受け取る年金、一時金も所得控除の対象となる

一般口座
➡損益の報告書を自作し、自分で確定申告する

特定口座
➡「源泉徴収あり」「源泉徴収なし」のどちらかを選ぶ。「あり」だと自分で確定申告する必要はない

NISAで投資信託を買うなら
先にNISA口座を開いておいて
必要になったら他の口座を開けばいいね

Part4
07

買い方は2通り、「スポット」と「積立て」

買いたいときに注文する「スポット」

投資信託は通常、開設した自分の口座を通して買います。口座にあらかじめ入金しておくと、その残高が「買付可能額」とか「買付余力」として表示されるので、その範囲内で買い注文が出せます。

投資信託の買い方には、「スポット（一括、集中）」と「積立て」の2つがあります。**スポットは、自分が買おうと思ったときに注文を出す方法**です。投資用の資金を投資信託の口座に入金しておき、「いまが買いどきだ」と思ったときに注文します。注文の際は、投資信託の口数（数量）か、または金額で指定します（138ページ参照）。

定期的に買い増す「積立て」

一方、**積立ては、毎月○○円ずつなど、自分で金額を決め、定期的に積み立てて、継続して同じ投資信託を買い増していく方法**です。

その金額や積み立てる日などを設定することが、買い注文にあたります。

引落し口座は、証券口座のほか、銀行口座などを指定できることもあります。

「毎月○日引落し、月1回の積立て」が一般的ですが、別の期間を指定したり、ボーナス月に増額することも可能です。

また、積立ては金額で指定するため、投資信託の値段の変動により、買える数量が変わってきます（140ページ参照）。

投資信託の買い方は2通りある

買いたい銘柄を決める

スポット で買う

➡買いたいときに、買いたいだけ買う方法

☑金額を指定する方法と、口数（数量）を指定する方法のどちらかを選ぶ

☑買付可能額の範囲内で、すぐに買える

積立て で買う

➡毎月、決まった日に、決まった金額を買うなど、同じ投資信託を定期的、継続的に、一定金額を買い増していく方法

☑積立金額、引落口座、積立日、ボーナス月の増額などを指定する

☑数営業日後に「受渡し《うけわた》※」となる

※受渡し：投資信託は、買い注文が確定した日（約定日）の数日後に、運用資産として口座に追加される。これを「受渡し」という

「口数（数量）」を指定して注文する

基本は1万口以上・1万口単位

投資信託の売り買いの注文を出すときは、**①投資信託の口数（数量）を指定する、②売買金額を指定する**、の2通りがあります。

口数指定での注文は一般的に1万口以上・1万口単位です。口数とは、投資信託の基本になる数量を表す単位です。

例えば、投資信託の値段（基準価額）は、1万口あたりの価格を表しています。つまり、基準価額が1万円なら1口あたり1円、9000円なら1口あたり0・9円ということです。また、分配金も1万口あたりの金額です。分配金が100円で10万口をもっていた場合、受け取る分配金は1000万円ではなく1000円になります。

なお、口数指定で投資信託を買う場合は、**分配金を自動的に再投資できない**ので注意してください。

Check!

購入金額に注意！

買い注文を口数で指定した場合、現在表示されている基準価額×口数（1万口単位）が購入に必要な金額とはなりません。実際の基準価額は、注文が確定した日（約定日）の取引が終わってから決まりますし、購入時手数料がかかる投資信託もあります（購入時手数料には消費税もかかります）。口数を指定したときの購入金額はあくまでも概算で、実際は変わることに注意しましょう。

売り買いするときの注文方法は…

口数（数量）指定で注文する

☑「10万口」など口数を指定する方法。口数とは、投資信託の基本になる数量を表す単位

☑一般的に、**1万口以上・1万口単位**で指定する

☑基準価額や分配金も1万口あたりの金額

例　買い注文を出す時点の基準価額が1万円の場合

➡基準価額は1万口あたりの価格なので、もしも10万口の買い注文を出すなら、必要購入金額は概算で10万円となる

金額指定で注文する

☑「10万円」など金額を指定する方法

☑積立てで買う場合は、金額指定となる

☑最低購入金額に注意
（1万円などと決まっている場合がある）

☑基本的に売り買いの注文は金額指定のほうがわかりやすい

投資信託によっては
口数、金額のどちらか一方での指定しかできないものもあります

「金額」を指定して注文する

買い注文の基本は金額指定

投資信託を積立てで買うときは、金額を指定して買うものですが、スポットで買う場合は、金額を指定する方法と、口数（数量）を指定する方法のどちらかを選べます。

ただ、「何万口買いたい」というよりも「何万円買いたい」と考えることのほうが多いでしょうから、**投資信託の購入は金額指定が基本**といえます。

金額指定で手数料がかかる場合は、手数料込みの金額を指定したり、手数料別の金額を指定することもできます。

左図で、現在の基準価額が1万円の投資信託を手数料（と消費税）込み「10万円」の金額指定で、何口買えるかを計算してみました。金額指定では、ほとんどの場合、口数の計算で端数が出ますが、この処理は販売会社によって対応が異なります。左図の例では口数は切り上げました。

Check!

NISA口座も金額指定が基本

口数指定は、原則として1万口単位の購入となり、分配金の再投資ができない場合があるなどのデメリットがあります。また、NISA口座でも、口数指定での購入ができない場合がありますやはり金額指定が基本と考えたほうがよいでしょう。

金額を指定して買い注文を出す際のポイント

Point 金額指定だと買える口数が変わる

例 現在の基準価額が１万円の投資信託を10万円分買いたい
（基準価額がいまのままなら、買える口数は 10 万口）

●「購入金額 10 万円」で買い注文を出す
●ただし、買い注文を出した時点では、
まだこの日の基準価額は決まっていない

実際の基準価額は10,050円だった

実際に買えた口数は10万口ではなく、それ以下の口数になる！
（下図を参照）

注意 もしもこのとき、基準価額１万円の投資信託を「10万口買う」と、口数指定で買い注文を出した場合は、実際の購入金額（手数料や税を除く）は、予定していた10万円をオーバーしてしまう！

Point 口数は通常、半端な数になる

例 実際の基準価額は10,050円で、
購入時手数料が3%だった場合…

〈計算式〉
●まず、１万口あたりの基準価額＋手数料＋消費税を計算
10,050円×3%＝購入時手数料301.5円
301.5円×10%＝消費税30.15円
10,050円＋301.5円＋30.15円＝１万口あたり10,381.65円

●次に、１万口あたりを１口あたりに換算
10,381.65円÷10,000口＝１口あたり1.038165円

●これで10万円で何口買えるかを計算
100,000円÷1.038165円≒96,324口

Part4

10

売るときの手続きと注意点は？

売りどきは見極めなくてよい

投資信託は中・長期の運用が基本です。そのため、株のように短期間で売りどきを見極める必要はありません。ある程度の期間もって、基準価額が上がったら売り、譲渡益を得るというのはアリですが、**もっと上がると思えばそのまままもち続けていることも可能**です。

信託期間（48ページ参照）があるものなら、そのときがくれば自動的に償還されて、お金が返金されます。

売るときは全部でも一部でもOK

ただ、何かの事情により、まとまったお金が必要になったら、オープン型（108ページ参照）の投資信託の場合、いつでも売る（解約する）ことができます。

売るには、**投資信託を解約する「解約請求」と、買い取ってもらう「買取請求」の2つの方法**があります。買取請求ができない場合もありますが、受け取る金額は変わらないのであまり気にする必要はありません。

また、**投資信託は全部でも、一部でも売れます**。一部を売るときは、金額指定でも、口数指定でもかまいません。

売る手続きは比較的簡単で、窓口、電話、ネットなど、投資信託を買ったところに問い合わせれば教えてくれます。ネットやアプリなら画面の「解約」や「売却」のボタン操作をするだけです。

投資信託を売るときの手続きは？

売りたくなったら…

投資信託を買ったときの金融機関の

窓口　電話　ネット

へ連絡

解約請求 または **買取請求** をする

解約請求：投資信託は運用会社と信託契約を結んでいるので、販売会社を通じてその契約を解除し、返金してもらう方法

買取請求：販売会社に投資信託を買い取ってもらい、その代金を受け取る方法

2つのうち、どちらでもよい！

➡どちらを選んでも受け取り金額はほとんど変わらない

➡ただし、買取請求できない投資信託もある

➡売るのは全部でも、一部でもOK

➡一部を売る場合は、口数（数量）指定でも、金額指定でもOK

コラム

ブル型・ベア型ファンドとは？

約6,000本あるといわれる投資信託を見渡すと、その中に「ブル」とか「ベア」という言葉がつくものがあることに気づきます。2つとも、どんな投資信託なのか、その特徴を表す言葉です。

株取引などでも相場（株などが取引される時々の値段）を表す言葉として使われていますが、「ブル」とは強気とか上昇を意味し、「ベア」は弱気とか下降（下落）を意味します。

それぞれブル型ファンド、ベア型ファンドと呼ばれる投資信託は、どちらも基準となる指数の値動きを、大きく上回るような運用をめざしますが、ブル型のほうは基準となる指数の値動きが「上昇」した場合（上昇相場）に、高いリターンが期待できるのが特徴です。

またベア型のほうは、同じく基準とする指数の値動きが「下落」した場合（下落相場）でも、リターンが確保できるように商品設計されているのが特徴です。

例えば、将来、日本の株が全般的に上昇すると予想するなら、ブル型ファンドを買い、逆に日本株が将来下落していくと考えるなら、ベア型ファンドを買う、といった具合です。

上昇を意味する「ブル」が雄牛で、下落を意味する「ベア」が熊というのも、面白いですね。

Part 5

投資に役立つ知識とテクニック

第5話 いよいよ買っちゃいます！

はあ…まだまだ勉強を始めたばかりですが
それでもよろしければ…
もちろん！
大歓迎だよ！
数週間後
これっ…
実家にいたときは気づかなかったけど経済専門誌ばっかりじゃない！
まさかお父さん誠也さんの事を試すつもりなんじゃ…
経済新聞
ピンポーン

さて…聞くところによると高橋くんと祥子はこれから投資信託を始めるんだってね
はい
投資は初めてですが祥子さんと一緒にイロハから学んでいます
ふむ
投資信託は初心者向けといわれるからな
でもう何か購入したのかね
いいえまだこれからなんですが…
なるほど
それで森重さんのお父さんと投資信託の話をしに行くんですか

そうなんです…
はあ…
当日までに
少しでも
勉強しておこうと
思いまして
それなら
投資信託を買う前に
必ずチェックすべき
2つの項目を教えますね
これを
押さえておけば
勉強していることが
伝わると思いますよ
ありがとう
ございます！
ふんっふん
ごそっ
頑張ってね！
―今は**純資産総額**や
トータルリターンを
調べたりしています

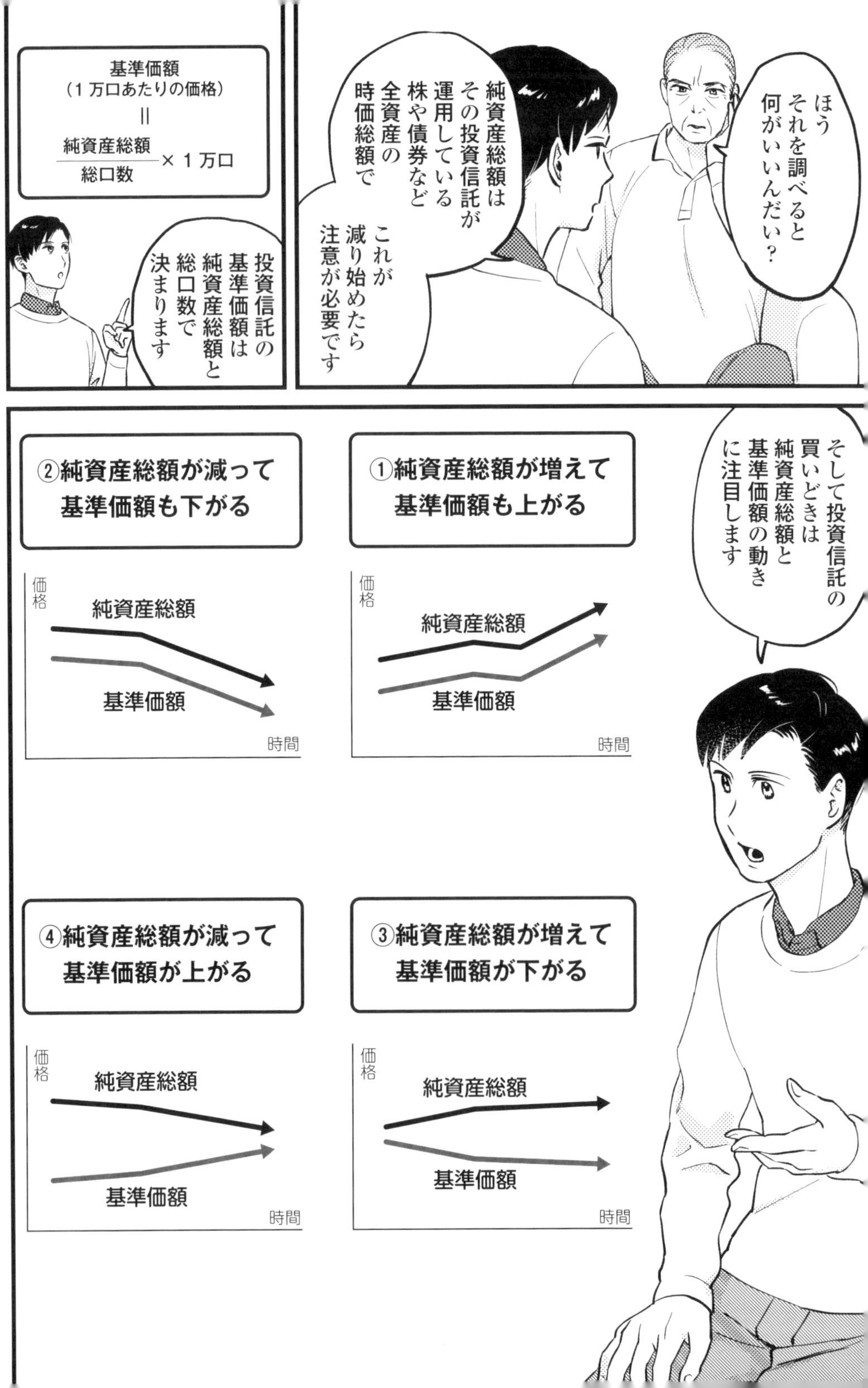
ほう
それを調べると
何がいいんだい？
純資産総額は
その投資信託が
運用している
株や債券など
全資産の
時価総額で
これが
減り始めたら
注意が必要です
基準価額
（１万口あたりの価格）
＝
純資産総額 / 総口数 ×１万口
投資信託の
基準価額は
純資産総額と
総口数で
決まります
そして投資信託の
買いどきは
純資産総額と
基準価額の動き
に注目します
①純資産総額が増えて
基準価額も上がる
価格
純資産総額
基準価額
時間
②純資産総額が減って
基準価額も下がる
価格
純資産総額
基準価額
時間
③純資産総額が増えて
基準価額が下がる
価格
純資産総額
基準価額
時間
④純資産総額が減って
基準価額が上がる
価格
純資産総額
基準価額
時間

①の場合は明らかに買いどきだが基準価額が上がっている④も買いどきかな？
ううん 純資産総額が減っているってことは結局、運用がうまくいっていないということなの
そうなんです
ですから買うべき投資信託とは
基準価額が上がると同時に純資産総額も増えているものなんです
なるほど
ではトータルリターンとはいったい何だね？
トータルリターンは一定期間にどれだけ儲けられたかがわかるやつよね？
そうです

期中に支払われた分配金の総額
期中に売却された投資信託の額
期中に購入された投資信託の額
分配金額 (c)
トータルリターン（額）
売却金額 (b)
評価金額 (a)
追加買付金額 (d)′
買付金額 (d)
この額を累計買付金額で割るとトータルリターン（率）になる
期首の投資信託の評価額
期末（現在）の投資信託の評価額
※それぞれの金額は、手数料を差し引いた後の額
自分の投信のトータルリターン（額）を見る場合
上の式で
買付金額 (d)=スタート時の投資額
追加買付金額 (d)′=これまでに追加した投資額
売却金額 (b)=途中で売却して戻ってきた額
と置き換える
かかった手数料や受け取った分配金も含めて計算しているので
儲けられたかどうかがリアルにわかります
ほかにも騰落率や目論見書など確認するべき項目はありますが
それはまだ勉強中なんです
なるほど…
…なかなか考えとるじゃないか

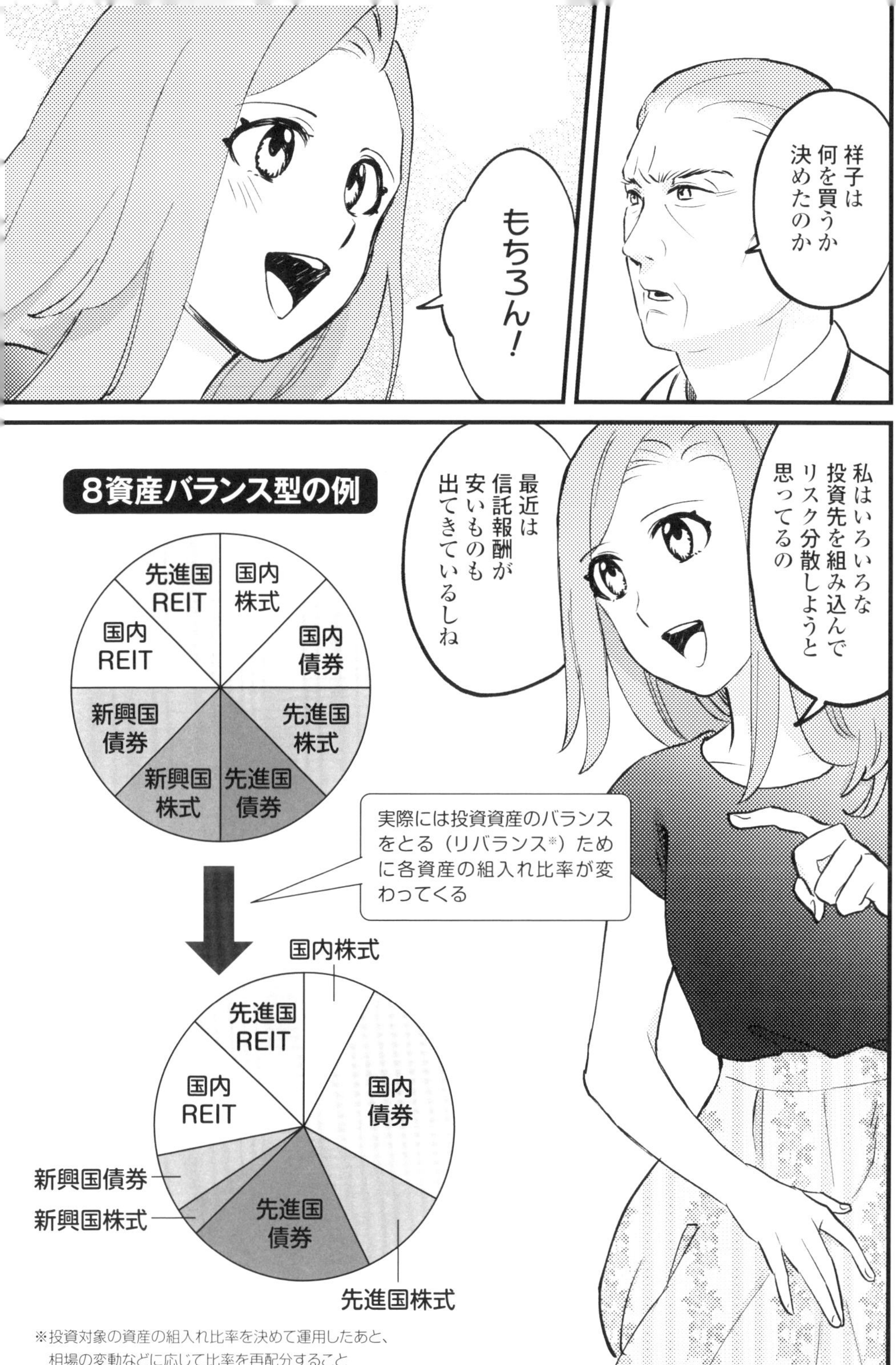

※投資対象の資産の組入れ比率を決めて運用したあと、相場の変動などに応じて比率を再配分すること

じゃあバランス型で
毎月1万円ずつ
積み立てていく感じか
いいえ
思い切って
2万円に
するわ！
おおっー！
でも
大丈夫か
あんまり
ムリすると
万一ってことが…
心配しないで
濱田さんっていう
優しい先生がいるし
誠也さんと一緒に
ちゃんとアドバイスを
もらうわ
うん
運用報告書や
月次レポートなんかも
しっかり目を
通していこう

よーし
これから私も
投資信託でがっちり
お金を増やすわよー
ふっ
今日は
呼び出してしまって
すまなかったね
──高橋くん
2人とも本当に
投資信託の
勉強をしている
みたいで安心したよ
それで祥子

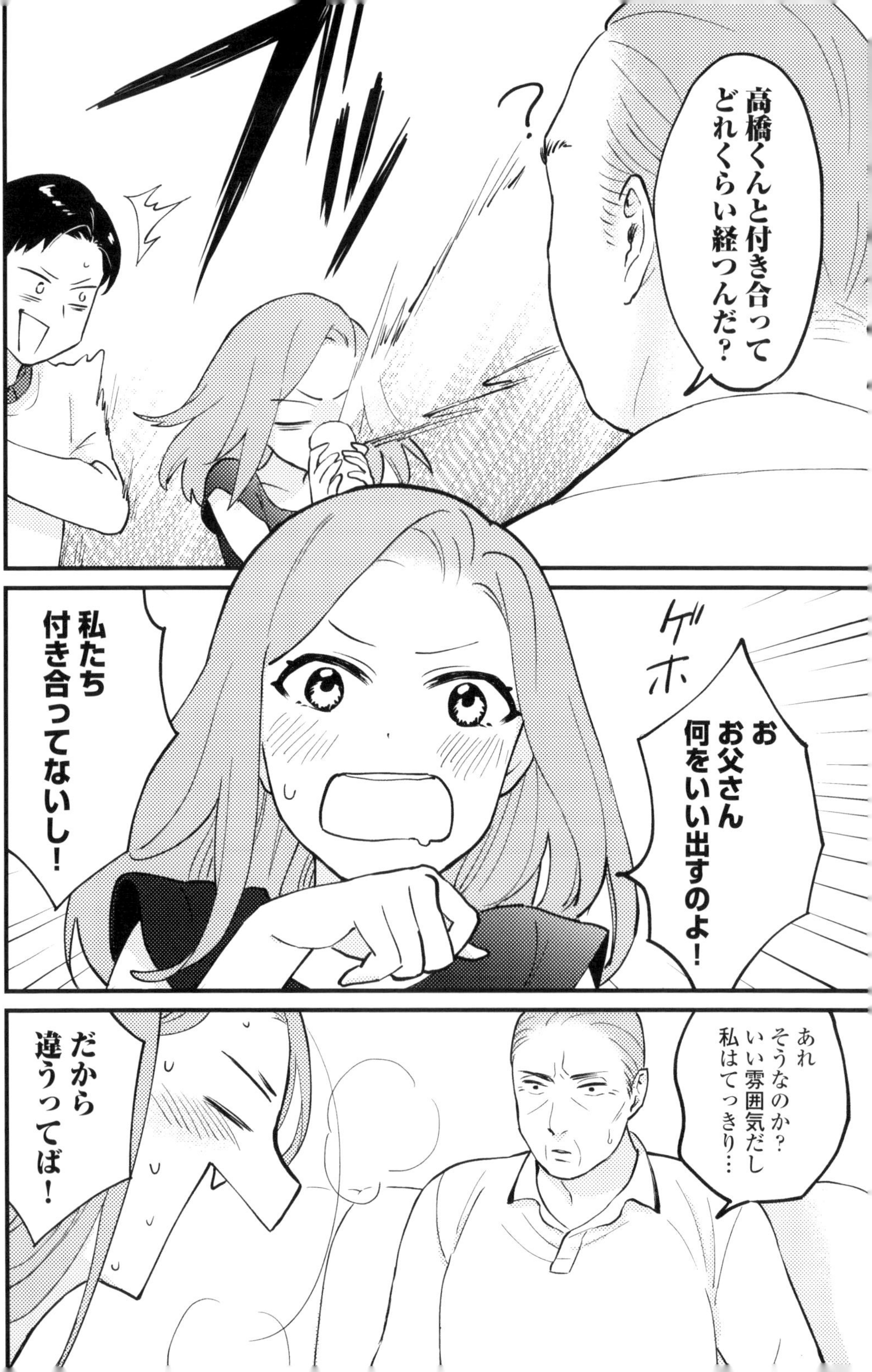
高橋くんと付き合ってどれくらい経つんだ？
ゲホ
お お父さん 何をいい出すのよ！
私たち 付き合ってないし！
あれ そうなのか？ いい雰囲気だし 私はてっきり…
だから 違うってば！

誠也さんにも
迷惑でしょ!?
ごめんね…!
え?
いや…
その…
勘違いさせて
しまったみたいで
すみません
いやいや
こちらこそ
はやとちりして
すまんかったね
ペこり

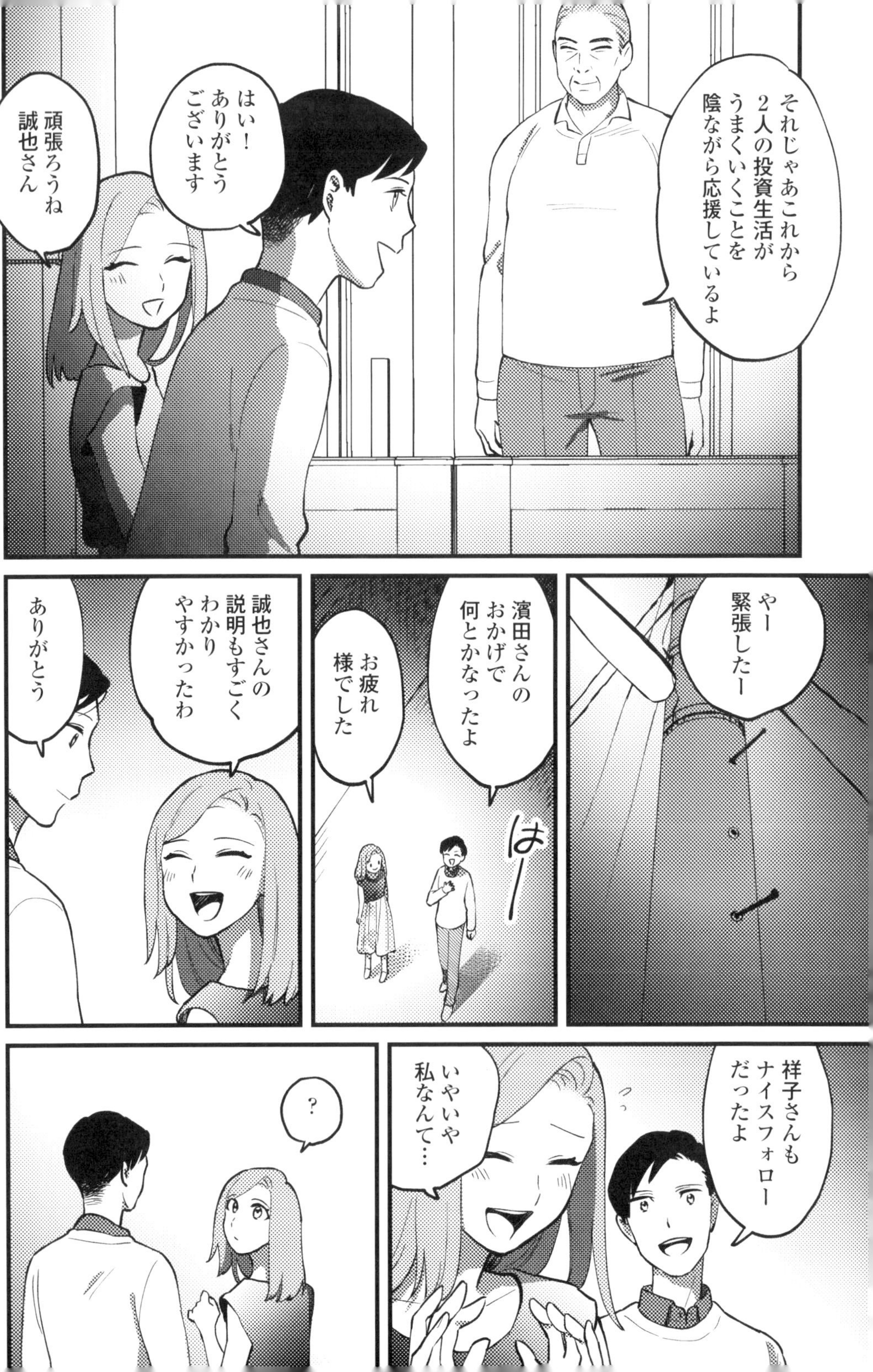
それじゃあこれから
2人の投資生活が
うまくいくことを
陰ながら応援しているよ
はい！
ありがとう
ございます
頑張ろうね
誠也さん
やー
緊張したー
濱田さんの
おかげで
何とかなったよ
はー
お疲れ
様でした
誠也さんの
説明もすごく
わかり
やすかったわ
ありがとう
祥子さんも
ナイスフォロー
だったよ
いやいや
私なんて…
？

あの…
祥子さん！
は
はい！
もしよければ僕と…

Part5

01

スポットで一度に買うか、積立てでいくか

¥ 一度に買った後に、積み立てる買い方

投資信託の買い方には、「スポット（一括）」と「積立て」の2つがあります（136ページ参照）。例えば、定期預金を投資信託に切り替えるなど、まとまった額で購入する場合は、スポットで一度に買うことになるでしょう。

そのうえで、その後は預金をする代わりに、**積立てで投資信託を買い増していく**、もしくは**別の投資信託に積立てで投資していく**方法が一般的です。投資信託は買ったそのときから運用されて、うまくいけば利益を生んでくれるというのがその理由です。

反対に、当初から、あえて積立てで買う方法もあります。

¥ ゼロから資産づくりの人は積立てで

一方、まとまった額の預金もなく、これから、ゼロから資産づくりをするという人は、**はじめから積立てで買いましょう**。

一度、積立ての設定をすれば、忘れていても自動的に積み立ててくれるので安心です。給料が振り込まれる預金口座などから引き落とす設定にしておけば、買付《かいつけ》余《よ》力《りょく》（買うことができる上限額）不足の心配もありません。

また、積立ての設定はいつでも変更ができるので、余裕ができたら積立金額を増やすこともできます。もちろん、都合が悪くなったら、積立ての設定解除や変更も簡単です。

スポットで買うか、積立てで買うか

ケース1　銀行預金から投資信託に切り替えるなら…

➡**まず手元資金でスポットで買い、その後は積立てで買い増す!**

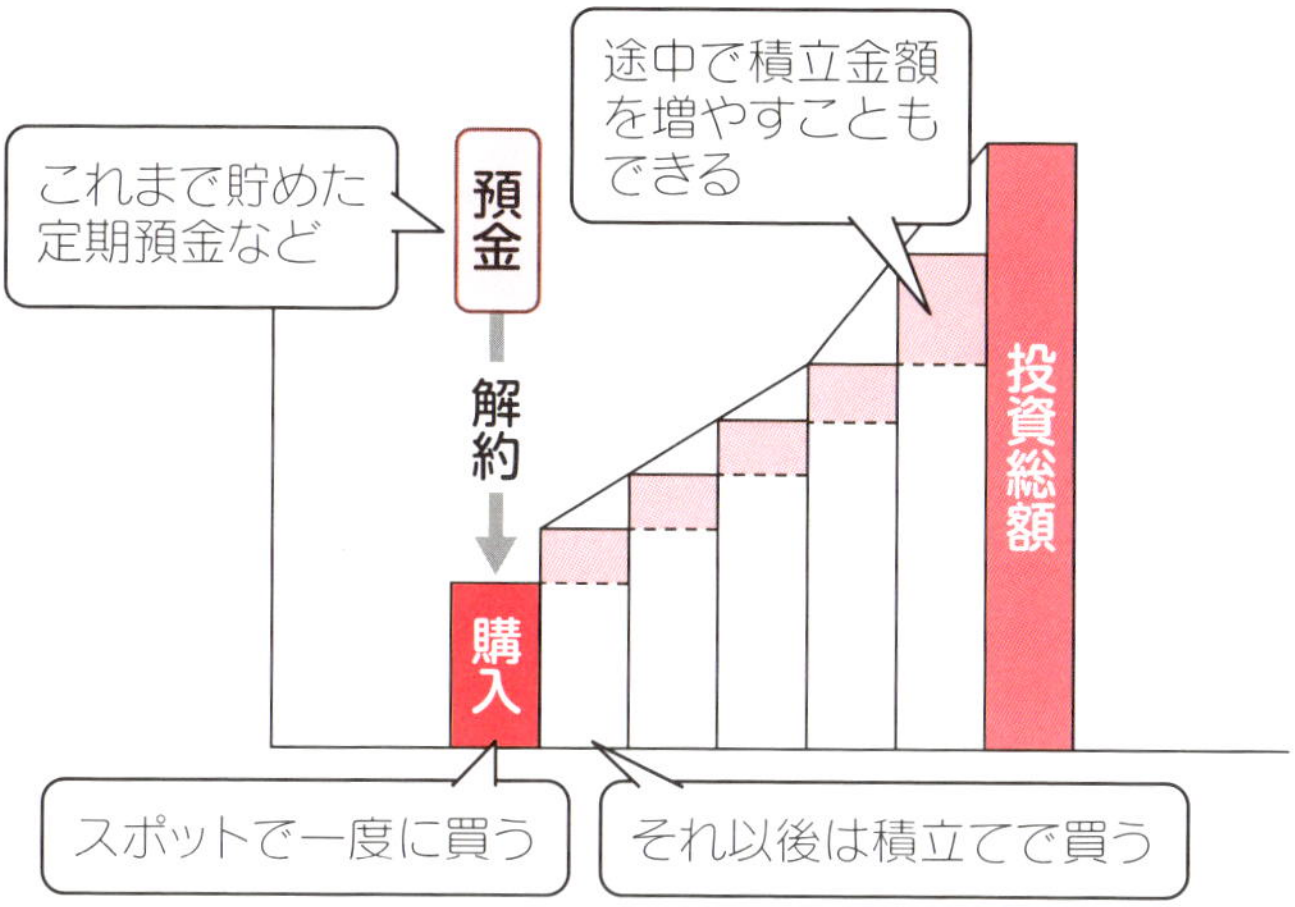

ケース2　ゼロから資産づくりを始めるなら…

➡**はじめから積立てで買う!**

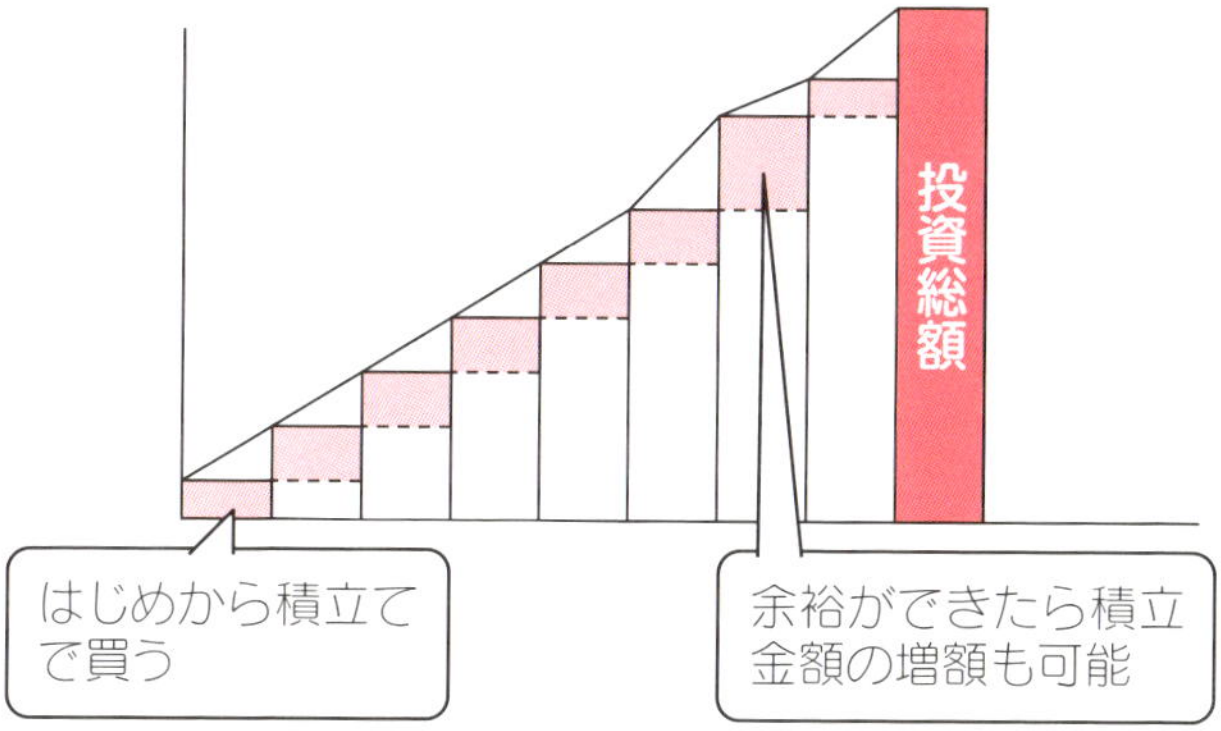

※ケース１もケース２も投資額にプラスして、さらに運用の利益（損）が加わる

Part5

02

「純資産総額」で投資信託の規模を知る

買う前にチェックする

投資信託を買うときには将来値上がりしそうな投資信託を選ばなくてはなりません。このとき、必ずチェックしておきたいのが、その投資信託の「純資産総額※」です。**純資産総額とは、その投資信託が運用している全資産の合計額のことをいい、投資信託の規模を表します**。通常は数十億円とか数百億円といった額のレベルです。

純資産総額が減ったら要注意

純資産総額は、運用次第で毎日、変動します。一方、投資家がもっている投資信託の口数の総口数を「受益権総口数」といいますが、これも売買などによって常に変動します。投資信託の値段である基準価額は、純資産総額を投資信託の総口数で割って計算したものでした（42ページ参照）。ですから、基準価額が上がっている投資信託がよいわけですが、基準価額は純資産総額が増える以外にも、総口数が減っても上がります。

そこで、基準価額だけでなく、純資産総額のチェックが必要になります。**値上がりしそうな投資信託とは、基準価額が上がって、同時に純資産総額も増えているもの**です。

純資産総額が減っているということは、運用がうまくいっていないなどの原因で、規模が縮小している、つまり運用する資産が減っていることを示しています。

用語解説

※**純資産総額**：ある投資信託が運用している全資産の合計額。例えば、A株〇億円、B株〇億円、M債券〇億円……のように、投資（運用）している資産の総額のこと。

買うときは基準価額とともに純資産総額をチェック！

$$\frac{\text{純資産総額}}{\text{総口数}} \times 1\text{万口} = \text{基準価額}^{※}$$

（1万口あたりの価格）

※基準価額は「1口=〇〇円」または「1万口=〇〇円」という単位で表示される

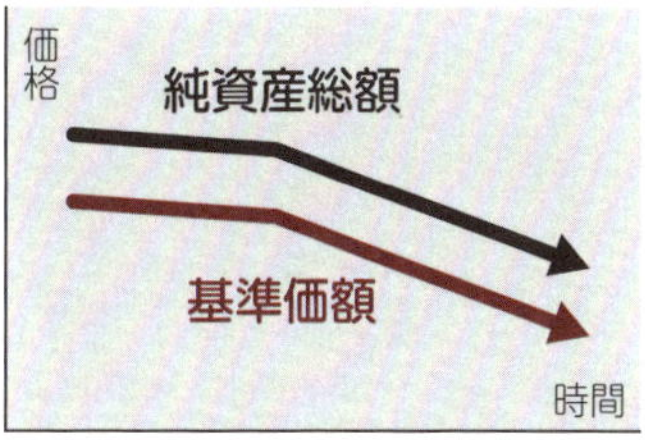

✕ 基準価額が下がり、純資産総額も減っているのは、運用が不調と考えられる

➡買いどきではない

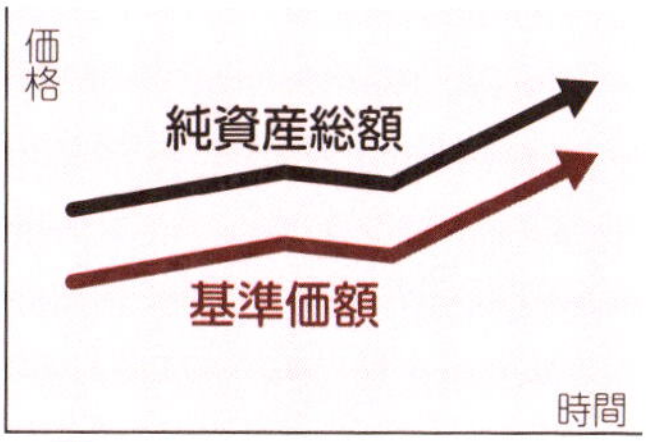

○ 基準価額が上がり、純資産総額も増えているのは、運用が好調と考えられる

➡買いどき！

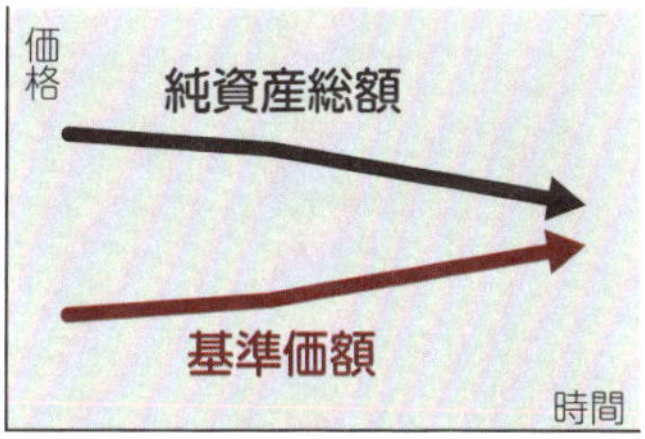

✕ 総口数が減っている（投資信託が買うよりも売られている）わりには、純資産総額がそれほど減っていないので、基準価額が上がっていると考えられる。運用は順調のように思えるが、実際に総口数も純資産総額も減っていることから順調とはいいがたい

➡買いどきではない

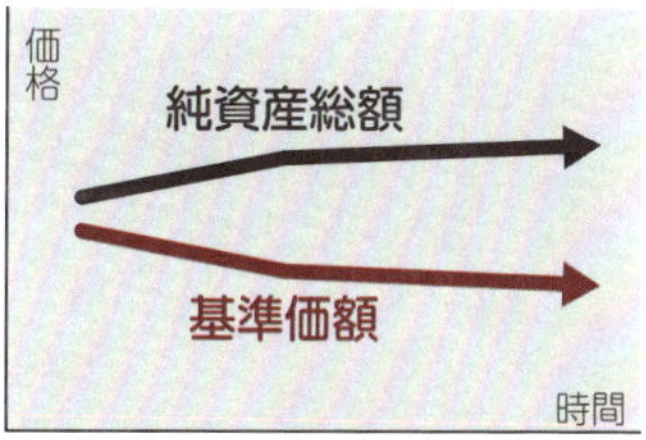

✕ 総口数が増えている（投資信託が新たに買われている）ほどには、純資産総額があまり増えていないので、基準価額が下がっていると考えられる。運用はあまり順調ではない

➡買いどきではない

「騰落率」で基準価額の変動をチェック

運用の成績をパーセントで見る

投資する投資信託を探すときの重要な情報に「騰落率《とうらくりつ》」があります。

騰落率とは、投資信託の値段＝**基準価額が、「ある期間」にどれだけ上がったか、または下がったかの変動率を、パーセントで表したもの**です。

月次レポートなどに書かれた騰落率を比べれば、規模の異なる投資信託の運用の成績がわかり、今後、値上がりしそうな投資信託を見つけるのに役立ちます。

変動を見る「期間」はさまざま

騰落率の算出方法は、左図のとおりです。

期間は、現時点から1週間、1カ月、6カ月、1年、3年、5年、設定来《せっていらい》（投資信託の運用開始から現時点まで）などの期間の数字が示されます。

騰落率は、長期間の数字を見たほうがよいでしょう。

投資信託の場合、短期的な値上がり、値下がりはあまり意味がないので、騰落率は長期間の数字を見たほうがよいでしょう。

また、騰落率はあくまでも過去の成績であり、**これからの将来がその数字通りに運用されるとは限りません**。あくまで「1つの参考値」であることを忘れないでおきましょう。

騰落率で基準価額の変動率を見る

$$\frac{\text{直近の基準価額} - \text{購入時の基準価額}}{\text{購入時の基準価額}} \times 100 = \text{騰落率（\%）}$$

※ただし分配金などは計算に含まない

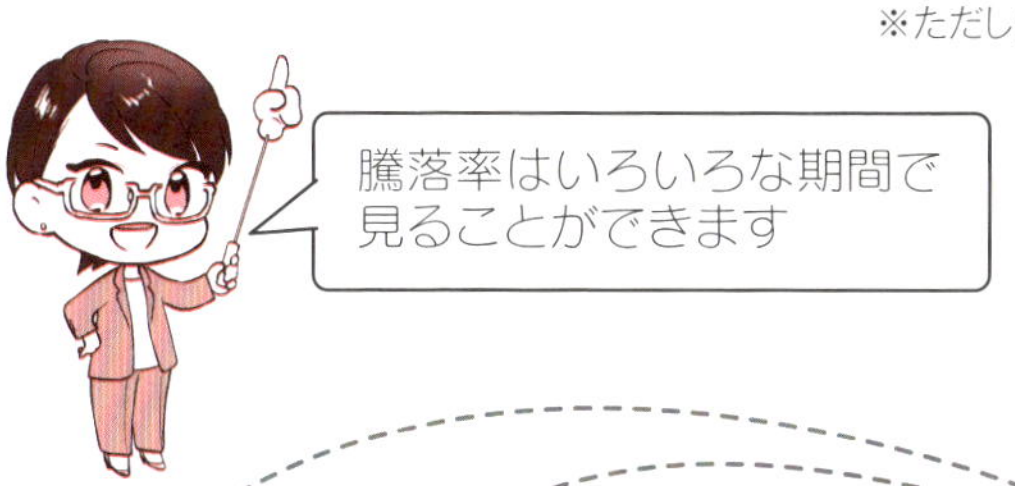

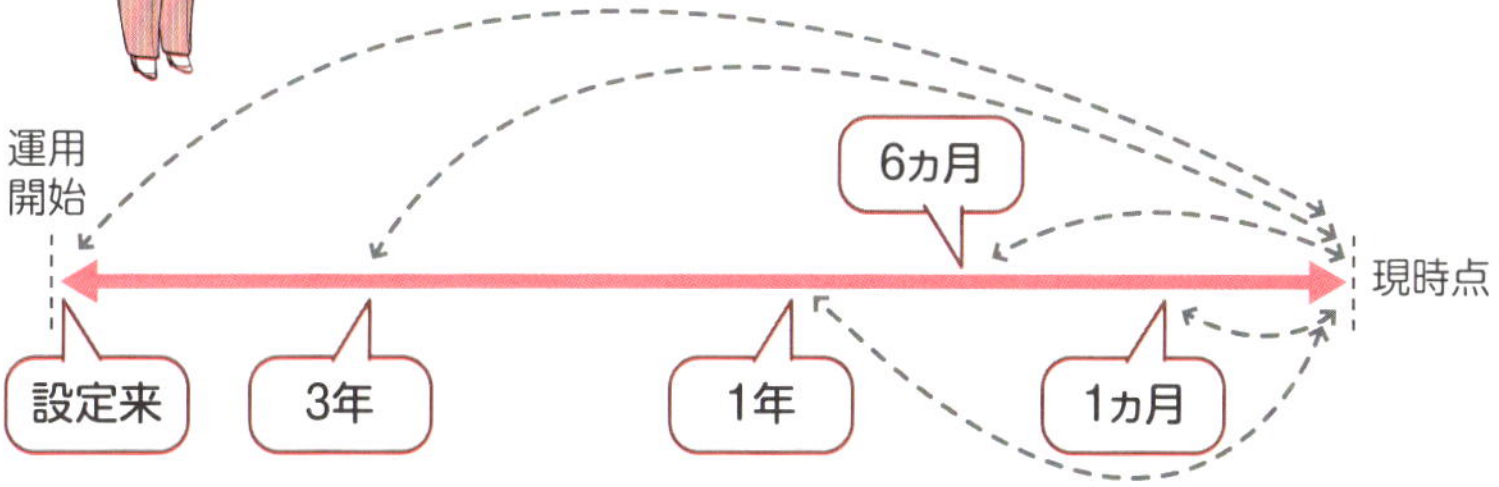

	3年	1年	6ヵ月
A投信	−15.7%	+5.1%	**+13.8%**
B投信	**+23.4%**	**+22.1%**	+6.9%

6ヵ月で見ると、A投信の騰落率のほうがよいが、
より長期の1年と3年ではB投信の騰落率のほうがよい

「トータルリターン」で運用の成績を知る

トータルで運用の成績を見る

騰落率とともにチェックしておきたい情報が「トータルリターン」です。

トータルリターンとは、ある期間を区切り、その期間内での基準価額の増加額と分配金の合計を表すものです。

投資信託はいつでも売ったり買ったりできるので、トータルリターンでは、その間に購入された分や売却された分も計算に入れます。また、手数料も計算に含みます。これらのものが加味されるため、トータルでどのくらいのリターンがあるかがわかるのです。

トータルリターンの計算方法にはいくつかあり、左図はその一例です。

トータルリターンは、**金額で表す場合と、パーセントで表す場合**があります。金額だと利益が何円出たかを、パーセントだと利益が何%出たかを表します。

トータルリターンを見れば、その投資信託の一定期間での運用の成績がわかり、**別の投資信託と成績を比べる**こともできます。

Check!

通知制度がある！

トータルリターンは投資信託を販売する金融機関が投資家に対して年に1回以上通知することになっています。通知方法は書面の交付のほか、ファックスや電子メール、インターネットなどによる送信で行われます。これをトータルリターン通知制度といいます。

トータルリターンの計算方法

トータルリターン（額） ＝

評価金額(a) ＋ 売却金額(b) ＋ 分配金額(c) － 累計買付金額(d)＋(d)′

評価金額：保有している口数 × 算出時点の基準価額 ÷１万口で計算

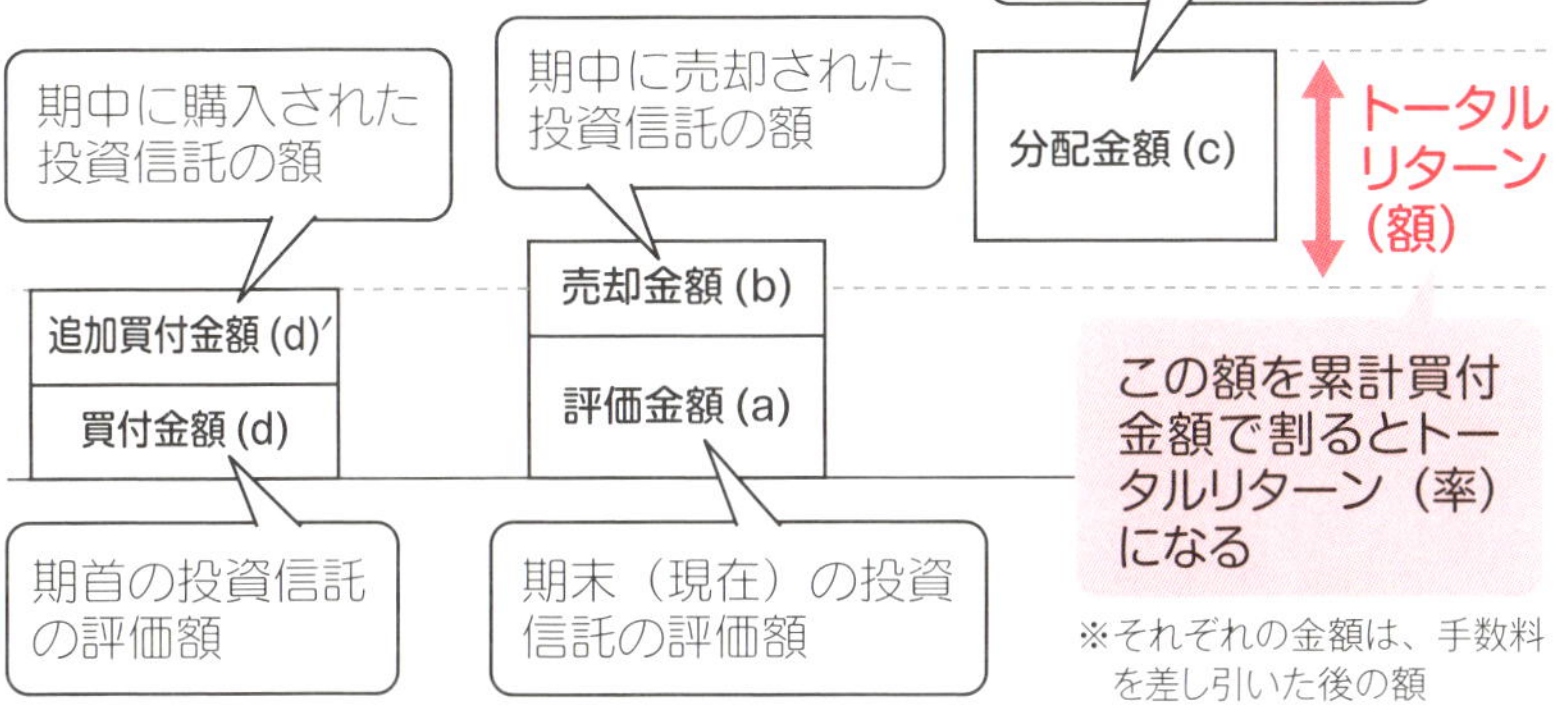

※それぞれの金額は、手数料を差し引いた後の額

※期首：期間の最初の日、期末：期間の最後の日、期中：期首と期末の間

自分の投信のトータルリターン（額）を見る場合

上の式で ｛ **買付金額 (d)**＝スタート時の投資額 / **追加買付金額 (d)′**＝これまでに追加した投資額 / **売却金額 (b)**＝途中で売却して戻ってきた額 ｝ と置き換える

トータルリターン（率） ＝

トータルリターン（額） ÷ 累計買付金額(d)＋(d)′

Part5

05

「目論見書」を読み解こう①

重要なデータは目論見書に出ている

投資信託は、**目《も》論《くろ》見《み》書《しょ》（44ページ参照）にすべての事柄が詳しく書かれています**。投資する地域や資産（株や債券など）、リスク、手数料、騰落率などが記されています。その投資信託に**投資するべきかを見極める重要な情報が含まれているのが目論見書**です。ここでその読み方を知っておきましょう。

なお、目論見書に出てくる専門用語のうち、本文中に説明のないものは左図にまとめたので参照してください。

投資信託の基本情報がわかる

目論見書の主な内容は、①商品分類・属性区分、②目的・特色、③リスク、④運用実績、⑤手続き・手数料などとなっています。

①の商品分類・属性区分には、投資信託を購入するときの型（オープン型かユニット型か）や、投資対象となる地域、資産、ベンチマーク（左図参照）などがまとめられています。

②の目的・特色には、何を目的として運用するかが簡潔にまとめられ、ファンド・オブ・ファンズ（112ページ参照）など、その投資信託のしくみの特色が説明されています。

また、利益の分配を行うか行わないか、行うならいつ、どれくらいの分配金を支払うかなど、分配方針も説明されています。

（③〜⑤については次項に続く）

目論見書に出てくる専門用語①

キャピタルゲイン

➡投資した対象の値上がりによる収益（譲渡益）。キャピタルは資本とか元金、ゲインは利益のこと。値下がりすると「キャピタルロス」という。

ベンチマーク

➡運用の目標や成果をはかるための基準。投資対象の市場の指数などが使われる。例えば、国内株式なら日経平均株価や東証株価指数（TOPIX）などを指す。

インカムゲイン

➡利子、配当などのこと。投資信託では分配金がそれにあたる。インカムは収入のこと。キャピタルゲインとインカムゲインの合計がトータルリターン（額）となる。

スイッチング

➡iDeCoの中で別の投資信託に乗り換えるなど、売却と同時に購入して、投資信託を乗り換えること。手数料がかからないこともある一方で、売却益には税金がかかる。

リバランス

➡相場の変動などで投資対象のバランスが崩れたときに、値上がりした資産の売却や、値下がりした資産の買い増しなどによりバランスを組み直すこと。

Part5

06

「目論見書」を読み解こう②

投資のリスクと運用実績に着目

目論見書の、③のリスクのページには、価格変動リスク、為替変動リスク、金利変動リスクなど、その投資信託にどんなリスクがあるかが記載されています。

投資信託は比較的リスクの低い投資ですが、ノーリスクではありません。海外の株などに投資するものには、ハイリスク・ハイリターンの投資信託もありますので、このページでリスクを確認すると良いでしょう。

また④の運用実績のページでは、トータルリターンや騰落率のデータが見られます。ほかにも基準価額や純資産総額の推移、分配金の推移など、その投資信託の過去の運用実績のほとんどを見ることができます。

ただし、まだ運用開始から日の浅い投資信託だと、運用実績がなかったり、期間が短くて参考にならないこともあります。

⑤の手続き・手数料のページでは、投資信託の購入単位など、手続きに関する詳細がわかります。また、気になる購入時手数料、信託報酬、税金など、コストのすべてもここに記載されています。

Check!

「使用開始日」に注意！

目論見書は、内容に変更があるたびに改訂されます。表紙に「使用開始日」とあるのが改訂された日です。年月日を確認して最新の目論見書を見るようにしましょう。

目論見書に出てくる専門用語②

ポートフォリオ

➡資産構成。投資信託では株や債券など、組み入れた資産の構成比率のこと。自分が何に、どれだけ投資するかを「ポートフォリオを組む」といういい方をする。

ヘッジ

➡価格変動に伴うリスクを避ける手段を講じておくこと。危機回避。例えば為替変動リスクの回避は「為替ヘッジ」などという。

デリバティブ

➡金融派生商品。為替、金利、株などこれまであった金融商品の取引から派生した、新しい金融商品。

元本払戻金

➡特別分配金ともいう。投資信託の元本を下回る分=元本から支払われる分配金。元本は払い戻された分、減少する。

普通分配金

➡投資信託の元本を上回る分=運用の成果から支払われる分配金。

Part5

07

投資したあとは運用報告書や月次レポートをチェック

運用報告書は必ず交付される

目論見書は、投資信託を買う前に見るものですが、**投資信託を買ってもっている間は「運用報告書」で運用の状況などを知る**ことができます。

運用報告書とは、決算期ごとか6ヵ月に1度、投資家への交付が義務づけられている報告書です。

運用報告書には、交付運用報告書と運用報告書（全体版）があります。交付運用報告書は、重要な項目をまとめた概略版で、主な内容は左図のようになっています。

全体版は、すべての項目が詳しく書かれていて、ホームページで見るか、販売会社に請求すれば交付してもらえます。

月次レポートで最新の情報開示

運用報告書は最短でも6ヵ月に1度の報告になるので、投資信託の運用会社はホームページで最新の情報を開示しています。それが**「月次レポート」とか「運用レポート」などと呼ばれる書類**です。

月次レポートの内容は、運用報告書と同じような項目になっています。

このように投資信託をもっている間は、運用報告書や月次レポートなどをチェックすることで、順調に運用されているかや、何か変わったことはないかを知ることができます。

運用報告書や月次レポートで確認できる情報

運用経過の説明

➡基準価額の推移、基準価額の変動要因、1万口あたりの費用明細、投資環境、ポートフォリオ、ベンチマークとの差異、分配金の表示など。

今後の運用方針

➡目論見書に記載された今後の運用方針が、投資先の資産ごとに文章でわかりやすく説明されている。

お知らせ

➡約款の内容の変更や運用体制の変更など、投資信託の運用会社が重要と判断した変更がその期間にあった場合に、その内容が記載される。

投資信託の概要

➡インデックス型のような投資信託の種類、信託期間、運用方針、分配方針などが一覧表にまとめられている。

騰落率

➡目論見書に記載されている、代表的な投資先の資産の騰落率などが示されている。

投資信託のデータ

➡投資信託の投資先の資産の内容、純資産総額などが、グラフや表で示されている。

何か変わったことはないか
定期的にチェックしましょう

Part5

08

積立て投資のメリット、「ドルコスト平均法」とは？

積立てで買うと価格は平均になる

投資信託の買い方には、「スポット（一括）」と、「積立て」があります（160ページ参照）。じつは、積立てにはスポットにはない、大きなメリットがあります。**買った投資信託の価格が平均化する**という点です。

スポットで買う場合、基準価額が安いときなら多くの口数が買えて得をします。逆に、高いときに買ってしまうと買える口数は少なくなり、損をしてしまいます。

積立てにより定期的に一定額を買うようにすれば、基準価額が高いときも安いときも買うことになり、価格（購入単価）は買っている期間の平均額となります。これにより、高値のときに買い過ぎたり、安値のときに買い損ねるといったリスクを抑えられます。

このような投資方法を「**ドルコスト平均法**」といいます。積立ては、このドルコスト平均法が自動的にできる投資方法なのです。

Check!

スポット買いの注意点

定期預金を投資信託に切り替えるなど、手元にまとまった資金があるとき、スポットで買うのは、自分が買いたい投資信託が将来も運用が順調に行き、今よりも基準価額が上がると判断できる場合です。つまり、今買えば基準価額が安いときに多くの口数が買えて得をする場合です。そうでなければ、はじめから積立てで買い、ドルコスト平均法のメリットを得てもよいでしょう。

積立てによるドルコスト平均法のメリット

スポットで購入

資金30万円で一度に買った場合

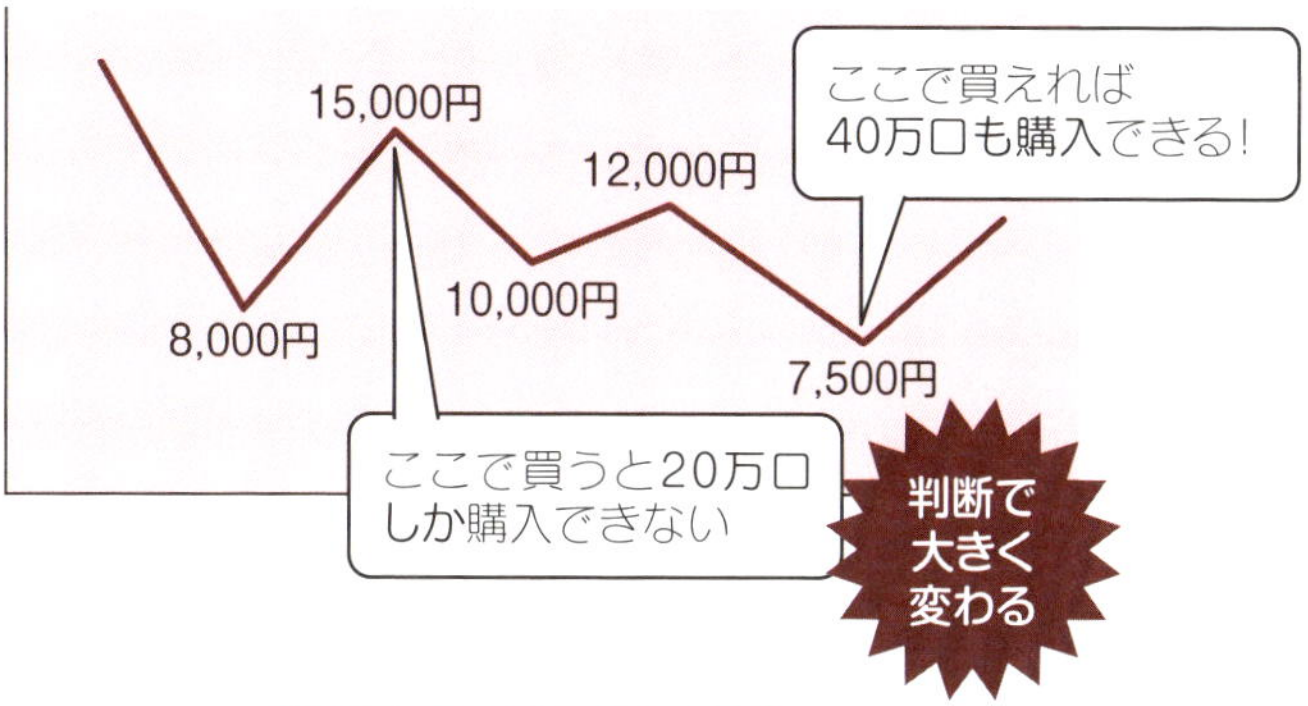

積立てで購入

資金30万円を6万円ずつ5回に分けて買った場合
【ドルコスト平均法】

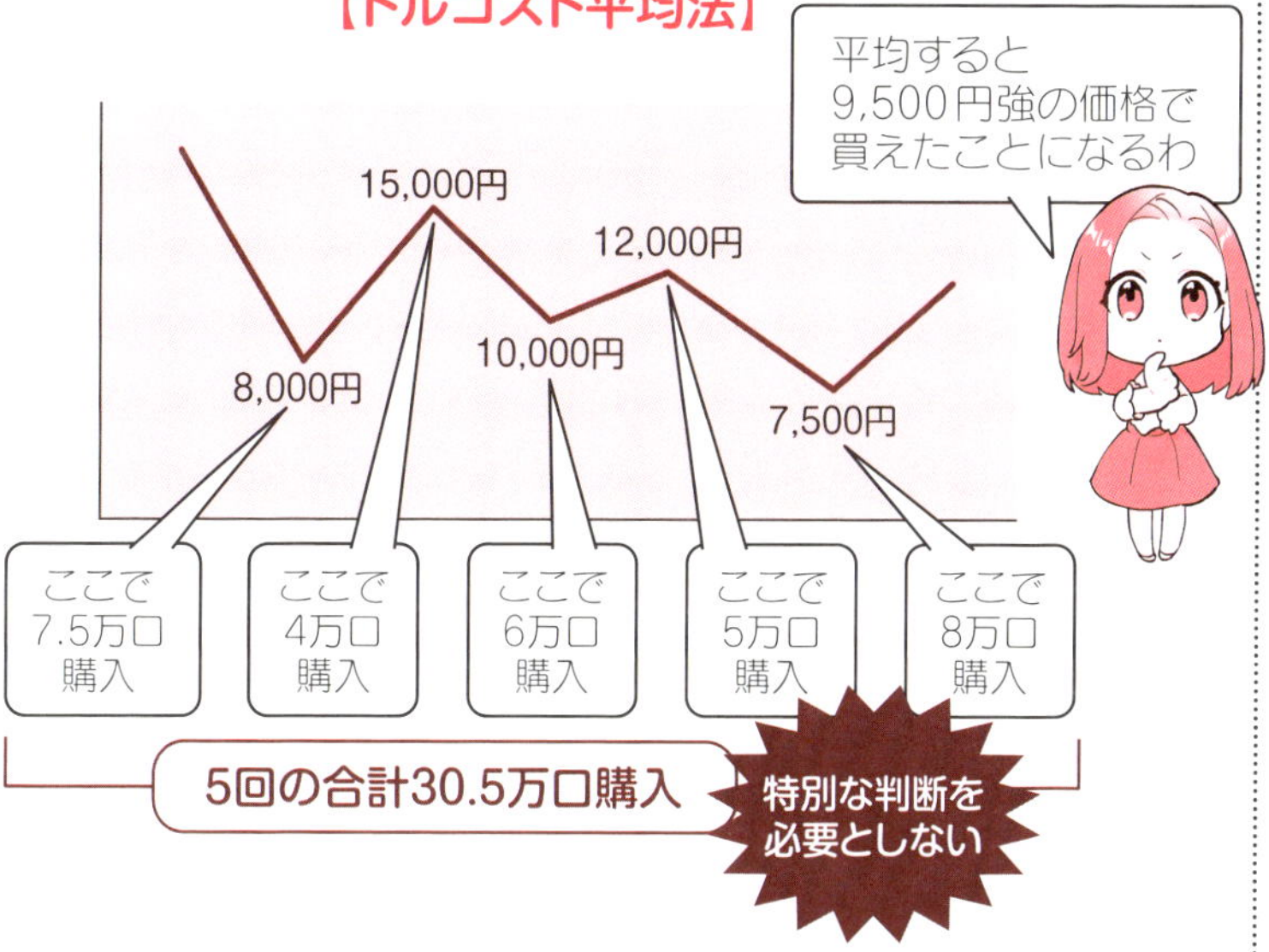

Part5

09

分配金は「受取型」か、「再投資型」か？

資産づくりは再投資型がおすすめ

投資信託は、分配金の受け取り方も重要なポイントになります。分配金がある投資信託では、**分配金を毎回受け取る「受取型」**と、分配金は受け取らずに、**そのお金で同じ投資信託を買い増す「再投資型」**があり、どちらかを選ぶようになっています。

受取型は「一般コース」などともいい、運用の成果をおこづかいや生活費の足しにできるのがメリットです。一方、再投資型は「自動継続コース」などとも呼ばれ、資産づくりに有利な面があります。というのは、**再投資型では元利（元本と利子）合計が「複利」**※**で運用される**ので、「単利」の分配型よりも運用資産が大きくなるからです。

左図の計算例は、投資元本100万円で年に5％の利益が出たとして、それを毎年受け取った場合と、再投資した場合の元利合計を比べたものです。大きな差がつきますね。

なお、分配金がない「無分配型」の投資信託では、運用の成果はすべて再投資されています。

Check!

複利は長期投資ほど有利！

複利の効果は期間が長くなるほど大きくなります。左図の計算例で5年後、10年後、20年後の差を比べてください。投資信託は中長期の投資が基本ですから、最初から再投資した場合と、そうでない場合では大きな差が生まれます。

用語解説

※**複利**：ある時間に元本によって生じた利益を、次の運用期間の元本に組み入れること。

資産づくりには再投資型のほうが有利

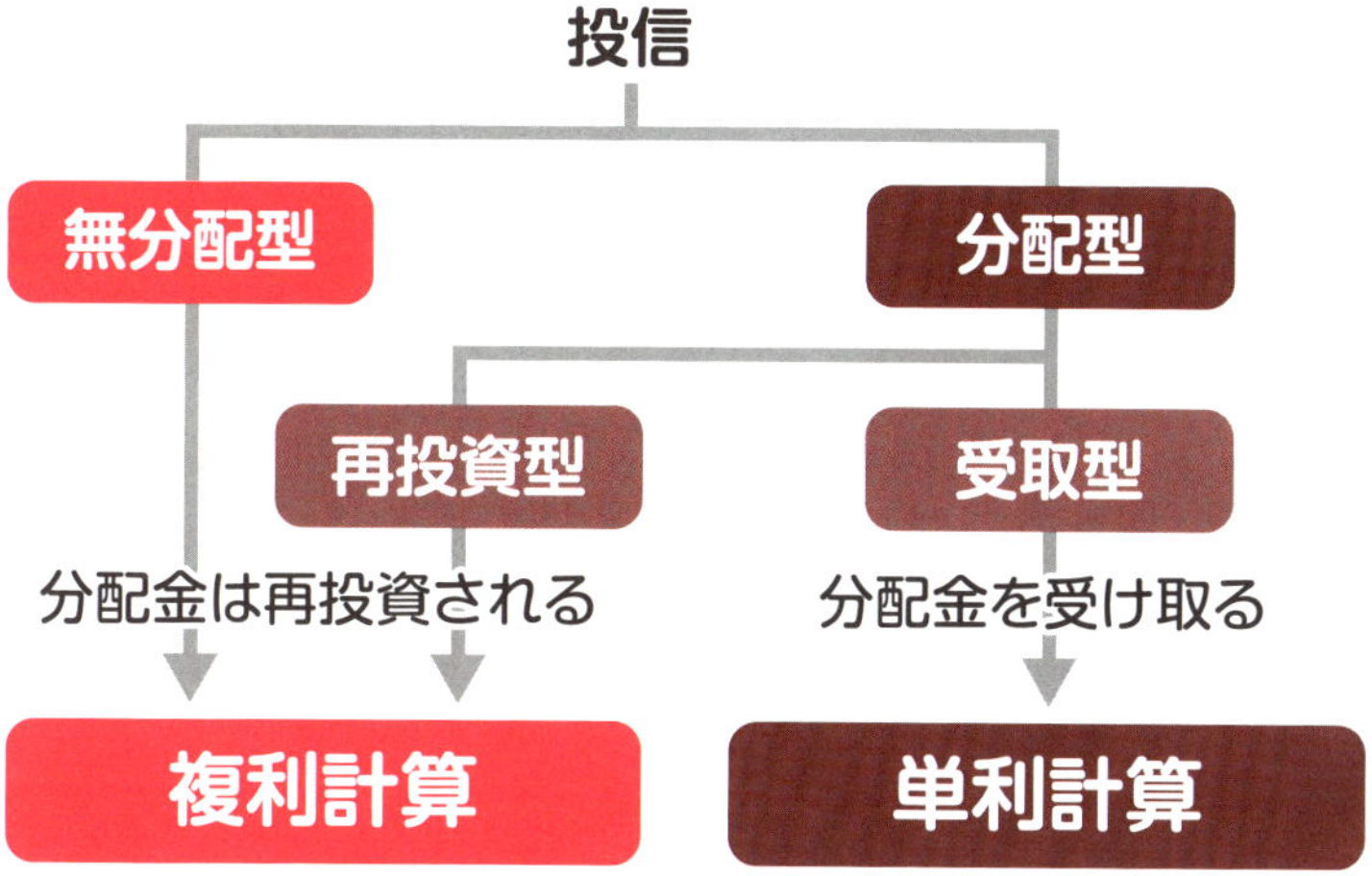

➡1年分の利子（利息）は元本にプラスされ、翌年はプラス分を含んだ金額に対して利子（利息）がつく

➡つねに最初の投資元本だけに利子（利息）がつく

複利と単利を比べてみよう

例 100万円を年利5%で運用した場合の元利（元本と利子）合計

	複利	単利
1 年後	105万円	105万円
5 年後	127万6,282円	125万円
10 年後	162万8,895円	150万円
20 年後	265万3,298円	200万円

10年で約13万円
20年だと65万円もの差がつくんだよ！

Part5

10

信託報酬の差がコスト負担に大きく関わる

信託報酬は無視できないコスト

投資信託にかかるコストのうち、もっているだけでかかる**信託報酬にはとくに注意が必要**です。

買うときにかかる購入時手数料や、売るときにかかる信託財産留保額とは違い、信託報酬は運用している間中、負担し続けなくてはならないものだからです。

信託報酬の「率」は、0・0何%から、高いものでも2%強程度と、数字だけ見ればそれほど大きいようには感じません。ところが、買った額や売った額ではなく、投資しているお金の総額に年率でかかるため、全体を通してみるとかなりの金額になります。

ノーロード型は信託報酬に注意

買うときは、つい、購入時手数料のほうに目が奪われがちですが、信託報酬の率は運用期間が長くなるほどコスト負担の大きさに関わってくるので、必ずチェックするようにしましょう。

一般的に、運用しやすいインデックス型や債券型投資信託などの信託報酬は低く抑えられています。

反対に、購入時手数料が無料のもの（ノーロード型）や、比較的安いものの中には、信託報酬が割高になっているものがあるので注意しましょう。信託報酬が高いものが、よい投資信託というわけではありません。

信託報酬のコストに要注意！

投資信託のコストの比較

	購入時手数料	信託報酬	信託財産留保額
どんなもの？	買うときの手数料	資産運用の手数料	売るときのペナルティ
いつかかる？	買うときのみ	もっている間中	売るときのみ
何にかかる？	買った投資信託の金額	投資しているお金の総額	売った投資信託の金額

信託報酬は運用期間が長いほど影響大

信託報酬は投資している金額から差し引かれる

例　100万円の投資信託を信託報酬0.2%と2%で運用した場合、投資元本100万円はそれぞれどのように変化するか
（運用益はないものと仮定して計算）

	0.2%の場合	2%の場合
1年め	99万8,000円	98万円
5年め	99万40円	90万3,921円
10年め	98万179円	81万7,073円
20年め	96万751円	66万7,608円

信託報酬2％の場合、20年めには100万円の投資元本が33万円以上も減ってしまいます！

投資信託を選ぶときに便利なツールやサービス

アドバイスから購入までOK

売り買いはネットで済ませたいが、自分で投資信託選びなどをするのには不安があるという人は、金融機関が提供している「**ロボアドバイザー**」を使うのも1つの手です。

「ロボ」とは、コンピュータのプログラムのことで、**スマホやパソコンを通して投資信託を購入するためのアドバイスが受けられるツール**です。アドバイスのほかにも、その場で売り買いができたり、自動的にリバランスなどの資産運用をしてくれるタイプもあります。左図は使い方の一例です。

また、証券会社には、投資信託を比較するインターネットサービスを提供しているところもたくさんあります。基準価額の推移や、純資産総額、騰落率など、さまざまな比較を行っています。

「投資信託　ロボアドバイザー」や「投資信託　比較」などの検索ワードでネット検索すれば、いろいろな証券会社のサービスを見つけられます。

最終的な判断は自分で

投資信託のロボアドバイザーも、投資信託の比較も絶対ではありません。提案される投資信託の情報は過去の実績に基づいて選ばれたもので、将来も順調とは限りません。

リスクを承知した上で、**売り買いの最終的な判断は、自分自身で行うことが大切**です。

ロボアドバイザーの使い方の例

Step 1 カンタンな質問に答える

- 現在の年齢は？
- これまでの投資経験は？
- 積立ての期間は？
- 1回めの購入額は？
- 2回め以降の毎月の積立額は？
- 利益と損失（リスク＆リターン）はどの程度を考えているか？

など

Step 2 おすすめの「運用スタイル（資産構成比、ポートフォリオ）」が提示される

国内債券、国内株式、先進国債券、先進国株式、
新興国債券、新興国株式、不動産（REIT）など
資産ごとの投資割合や投資金額など

Step 3 具体的な「おすすめの投資信託」が個別に提示される

ロボアドバイザーからのアドバイスは
あくまでも目安の1つ
最終的な投資判断は、自己責任で！

最終話　あれから１年経ちました！

確かに
あの2人に先を越されるとは…
濱田さんキレイ…
ただのビジネスパートナーだと思ってたのに…
でも濱田さんのお陰でちゃんと投資信託も形になってきてよかったよ
そうね…目論見書とかの見方も教えてくれたし
目標にしてた3%の利益もキープできてるしね
ちなみにあの2人が買った投資信託は年利20%以上だったらしいよ
20%!?
投資信託でもそんな夢みたいな話あるんだ…

それでは新婦によるブーケトスを行います！
女性も男性も参加されたい方はぜひ前方までお集まりください
ほらブーケトス始まるみたいだよ
あ！行かなきゃ！
たたっ
ザワ
ザワ
ザワ
ザワ
濱田さーん！こっちこっち！
クスッ
カッ
カッ
カッ
へ？

ぽすっ
は？
なに？
どういうことっ？
がんばって！
はいっ
すぅ…
…最初は
自分のために始めた
投資信託だったけど
あなたに出会ってから
もっと先の未来を考えて
資産を増やしたいと
思うようになりました

森重祥子さん…
僕と結婚してください
な…
何!?どういうこと!?
濱田さんっ
ぱっ
そういうこと！
知らないの森重さんだけよ？
そうそう

えっえっ
えええええっ!?
オロ
オロ
…いかがですか?
…はい!
お願いします!
ワッ
おめでとー
ヒュー

おわりに

本書は、投資信託を通じた資産運用の基本を解説したものです。できるだけ平易な表現を心がけ、マンガと説明文を交互に並列させています。

20代、30代の若い人たちの間で、投資信託の人気が静かに広がっています。その理由を考えてゆくと、現在の日本社会が直面している問題が浮かび上がってきます。

1つには、銀行の預金など金利水準が著しく低下したまま一向に上がらないという現実があります。その国の金利は、経済成長と物価上昇率に密接に関わっており、人口減少が進む日本では、そのどちらも大きな期待はもてません。親世代がごく普通に享受していた高い金利水準は、もはや望みようがありません。少しでも有利な資金の運用先を探してゆくと、投資信託にたどり着くというわけです。

理由の2つめとして、老後生活を支える年金への不安が若い人たちにも影響を与えている点です。社会に出て家庭を築き、貯蓄に励んで老後の暮らしに備える。かつてはごく普通に見られた庶民の生活を支えてきたのが公的な年金です。それが今のままでは老後生活には十分ではなくなってきました。ここにも人口減少問題が影を落としています。そこで自分の年金は自分でつくるというスタンスの投資信託に、脚光が当たるようになっています。

理由の3つめとして、金融商品を取り巻く制度的なサポートが整備されてきたという点もあります。NISA（ニーサ）やiDeCo（イデコ）という税制面で有利な制度が設けられ、とくにNISAは2024年から「非課税枠の拡大」「非課税期間の恒久化（無期限）」と、劇的といってよいほど大きく変更されます。これにより投資信託の魅力もますます高まることでしょう。

インターネットとスマホの登場によって、私たちの住む社会は見事に変貌を遂げました。この作品の主人公である祥子や誠也の暮らす世界は、祥子のお父さん世代とはまったく違った社会となっています。投資信託も、ネットを利用すれば100円から投資できる時代です。テクノロジーの進化は劇的に進んでいます。

いつの時代も、未来は常に不確かで不安なものです。しかし世の中のダイナミックな変化を上手に活用して、老後の豊かな生活資金を今から確保してゆくことは決して不可能ではありません。自分自身と家族の確かな未来につながるような安定した貯蓄を行うのに、投資信託は恰好の金融商品です。この本を手に取ってくださった皆様に、安心できる明るい未来が待っていますように。心からお祈りして、「おわりに」とさせていただきます。

鈴木一之

信用リスク………………………… 68
スイッチング…………………… 169
スポット（一括）
………………… 136・160・174
請求目論見書…………………… 44
税金……………………………… 64
相場……………………………… 38

た行

ダウ平均株価…………………… 102
単位型…………………………… 108
単利……………………………… 176
追加型…………………………… 108
積立て…………… 136・160・174
デフォルト（債務不履行）リスク
………………………………… 68
デリバティブ…………………… 171
投資銀行………………………… 28
東証株価指数（TOPIX）……… 102
騰落率…………………………… 164
特定口座……………… 132・134
ドルコスト平均法 …………… 174
トータルリターン …………… 166

な行

日経平均株価（日経225） …… 102
ネット利用…………… 124・126
年間取引報告書………………… 132
ノーロード型………… 110・178

は行

バランス型投資信託 ………… 100
バリュー株（割安株） ……… 104
販売会社…………………… 26・30
販売手数料……………………… 62
ファンド・オブ・ファンズ…… 112
ファンドマネージャー ……… 24
複利……………………………… 176
普通分配金……………………… 171
不動産投資信託……… 32・34・96
ブル型ファンド………………… 144
分散投資………………………… 14
分配金…………………… 40・176
ベア型ファンド………………… 144
ヘッジ…………………………… 171
ベンチマーク…………………… 169
ポートフォリオ………………… 171

ま行

満期償還………………………… 48
無分配型………………………… 176
目論見書………… 44・168・170

や行

ユニット型……………………… 108

ら行

リバランス……………………… 169
ロボアドバイザー …………… 180

アルファベット

ETF（イーティーエフ）……106
iDeCo（イデコ）
……74・76・78・134
NISA（ニーサ）
……70・72・78・134
REIT（リート）……96

あ行

アクティブ型……102・104
委託会社……26
一般口座……132・134
インカムゲイン……168
インデックス型……102
運用会社……24・26・28・30
運用報告書……172
円高・円安……68
オープン型……108

か行

買取請求……142
解約請求……142
価格変動リスク……66
確定申告……132
株（株式）……32・94
株式型投資信託……94
為替ヘッジ……80
為替変動リスク……68
監査報酬……62
元本確保型……74
元本払戻金……171
元本変動型……74
元本保証……66
企業型確定拠出年金……78
基準価額……42・162
キャピタルゲイン……169
金額指定……140
金利（年利）……22
金利変動リスク……68
口数（数量）指定……138
繰上償還……48
グロース株（成長株）……104
クローズド期間……108
源泉徴収……132
口座開設……128・130
購入時手数料……62・110・178
交付目論見書……44
コモディティ（商品）
……32・34・98

さ行

債券……32・34・92
債券型投資信託……92・95
再投資型……176
指数……102
受益権総口数……162
受託会社……26
純資産総額……162
償還……48
上場投資信託……106
上場不動産投資信託……96
譲渡益……38
信託期間……48
信託銀行……26・30
信託財産留保額……64・179
信託報酬……62・178

■監修者　鈴木　一之（すずき　かずゆき）

株式アナリスト。千葉大学卒業後、大和證券に入社。株式トレーディング室に配属され、株式トレードの職務に従事。2000年に独立後、独立系株式アナリストとして、相場を景気循環論でとらえる「シクリカル銘柄投資法」を展開。景気、経済、株式、投資信託の動向などのわかりやすい解説に定評がある。テレビ、ラジオで市況解説を担当するほか、各種メディアや講演会でも活躍中。『賢者に学ぶ　有望株の選び方』（日本経済新聞出版社）、『景気サイクル投資法』（パンローリング）などの著書のほか、『経済用語イラスト図鑑』『マンガでわかるNISA & iDeCo入門』（いずれも新星出版社）を監修。

公式HP：　http://www.suzukikazuyuki.com

■マンガ　幸翔（ゆきか）

漫画作家、イラストレーター、デザイナー。着物やレトロテイストが得意。趣味で始めた着物の解説イラストをwebで発信し人気を得る。国内外の呉服店や着物教室の授業テキスト、webの挿絵、漫画、紙面編集やロゴデザインなどを手掛けた。その他に未就学児向けの『開いてわくわく!迷路大冒険!』（ナツメ社）や経済専門誌『president woman』（プレジデント社）、『日本の装束解剖図鑑』（株式会社エクスナレッジ）などのイラストを担当。

X（旧Twitter）：　@crocodilian3

スタッフ
●執筆　和田秀実
●カバーデザイン　鈴木大輔・江﨑輝海（ソウルデザイン）
●DTP　田中由美
●マンガ協力　アラヰフミ、狐塚あやめ、宮嶋緑子、株式会社サイドランチ
●編集協力　有限会社クラップス

改訂版 マンガでわかる投資信託入門

2023年12月15日　初版発行

監修者　鈴木一之
発行者　富永靖弘
印刷所　株式会社新藤慶昌堂

発行所　東京都台東区 台東2丁目24　株式会社　新星出版社
〒110-0016　☎03(3831)0743

ISBN978-4-405-10434-1